KB096351

우리엄마는

눈물많은

슈퍼우먼

우리엄마는 눈물많은 슈퍼우먼

발 행 | 2024년 03월 18일
저 자 | 이금숙, 안수진
펴낸이 | 한건희
펴낸곳 | 주식회사 부크크
출판사등록 | 2014.07.15.(제2014-16호)
주 소 | 서울특별시 금천구 가산디지털1로 119 SK트윈타워 A동 305호
전 화 | 1670-8316
이메일 | info@bookk.co.kr

ISBN | 979-11-410-7681-8

우리엄마는

눈물많은

슈퍼우먼

CONTNET

PART 1

엄마이야기

남몰래 눈물 흘리며 힘들어하고 있을, 나와 비슷한 사람들에게

늘 몸이 아팠고, 건강한 사람들을 부러워하던 내가
이 글을 쓰고 있다는 게 믿기지 않는다.
나이 54살에 내가 살아온 인생 중 최상의 몸
상태이고 이제는 건강해지려면 어떻게 살아야
하는지 알 것 같다.
나처럼 대사질환으로 인한 만성피로와 통증 때문에
힘들어하시는 분들에게 조금이나마 위로와 힘이
되었으면 하는 마음으로 이 글을 쓴다.

활기찬 시골아이

나는 아침부터 날이 어두컴컴해질 때까지 시골
들판과 야산, 개천 등 온 동네를 마구 휘젓고

다니던 에너지 넘치는 시골아이였다.

그 시절 시골은 경제적인 여유가 없었고, 먹거리가
풍족하지 않았다.

특히 우리 집은 시골인데 농사를 짓지 않고 아빠의
적은 월급으로 5남매를 키웠으니 풍족할 리가
없었다.

식단에 고기가 올라오는 건 몇 달에 한 번, 명절에
고깃국으로 상에 올려지는 게 고작이었다.

그렇게 건강한 줄만 알았던 내가, 나이 10살이 되는
해였다.

소고기미역국과 사과

그나마 우리 집보다 형편이 조금 나았던 이모 집에
놀러 간 적이 있었다.

고기가 듬뿍 들어간 미역국에 밥을 주셨는데 너무

맛있어서 그 많은 밥과 국을 배가 터지도록 먹었다.
너무 맛이 있는데 우리 집에서는 언제 먹을 수
있을지 모른다는 생각에 숨도 잘 쉴 수 없을 만큼
많이 먹었다.
후식으로 주신 사과도 다 받아먹었다.
지금 생각하면 정말 미련한 행동이었다.

복통 시작

집에 도착하고 얼마 지나지 않아 복통이 오기
시작했다.
데굴데굴 구를 만큼 큰 통증이었다.
몇 날 며칠 동안 통증이 계속되었다.
병원을 가서 약을 먹으면 잠깐 괜찮고 다시
통증으로 고생하기를 반복했다.
그 이후 일 년 중 반은 통증으로 시달리며 약

먹기를 반복했던 것 같다.

2번의 기절

그 어느 즈음 이유도 모른 채 2번 기절을 했다.
화장실에서 머리가 하얘지더니 깨어나 보니
이불속이었다.
똑같은 상황이 주방에서도 한 번 더 일어났다.
깨어나니 또다시 이불속이었다.
어른들도 걱정이 되셨겠지만 기절했던 내가 다시
잠에서 깨듯 일어나니 대수롭지 않게 생각하셨는지
병원에 간 적이 없었다.
그래서 지금도 기절의 원인을 모른다.

잦은 코피

5남매를 키우는 시골 생활은 그리 녹록지 않았기에
여기저기 병원에 다니는 게 쉽지 않았다.

뛰어다니는 걸 좋아했던 나는 학교에서 달리기
대표선수였고, 테니스도 했다.

5학년, 6학년 땐 운동을 한다거나 조금만 힘이 들면
자주 아침에 많은 양의 코피를 흘렸다.

지금 생각하면 몸이 조금씩 무너져 가고 있었는데도
원인을 알려고 하지 않았다.

10살 때 복통이 있었던 이후로는 식사를 제대로 한
기억이 없다.

여전히 소화가 안 됐고, 먹기만 하면 배가 아팠기
때문이다.

점점 약해지는 몸

그 후로 한가지씩 점점 아픈 곳이 추가되었다.
코가 막히고, 변비에 시달리고, 입술이 너무 터서
찢어지는 건 나에겐 일상이 되었다.
6학년 때 의사 선생님들이 학교에 와서 학생들을
진료한 적이 있었다.
청진기 검사 결과, 내가 심장이 약하니 무리한
운동은 하지 말라고 하셨다.
그땐 모호하게 들렸다.
'심장이 안 좋은 건 어떻게 느낄 수 있는 거지? 난
심장이 너무 멀쩡한데 그게 무슨 말이지?'하고
생각했다.

등이 아프다

중학교 1학년 때부터는 등 한가운데가 아프기
시작했다.
역시나 원인을 알 수 없었고 알려고 하지도 않았다.
심지어 이번엔 어른들에게도 말하지 않았다.
10살 때 이후로 상쾌한 날 없이 항상 몸이
어딘가가 불편했었고, 이미 몸에 통증이 있는 것에
익숙해진 상태였다.
증상들이 추가된 것을 대수롭지 않게, 아프다는
느낌으로 퉁 쳐서 받아들였다.
발바닥 일부에서 계속 피멍이 생기면서 통증이 오기
시작했다.
내가 걸을 때마다 힘들어하는 걸 보던 친구가,
단골집이라며 한약방에 데리고 간 적이 있다.
그때 지식으로는 알 수가 없으셨는지 원인을
모르겠다고 하셨다.

아파서 죽는 꿈

고학년으로 갈수록 시험 압박에 시달려서 그런지
소화 기능이 더 떨어졌고, 밥은 거의 못 먹을
정도로 힘들었다.
매일 한약방이나 병원에서 조제한 약을 달고
살았다.
병원에서는 신경성이라고만 했다.
고등학교 때부터는 배를 잡고 데굴데굴 구를 정도의
통증으로 자주 힘들었다.
좀 덜 아플 땐 위염, 심하게 구를 정도의 통증이 올
땐 위궤양, 십이지장궤양이라고 했다.
어린 나이에 너무 고통스러웠는지 아파서 죽는 꿈을
자주 꿨다.

소프트 아이스크림

어찌어찌 대충 공부하고 대학에 갔다.

친구들과 어울리며 나름 즐거운 대학 생활을

보냈지만 불규칙한 생활에 항상 챙겨주시던 엄마가

곁에 안 계시니 복통이 심한 날이 많아졌다.

그러니 음식을 더더욱 챙겨 먹지 못하고 먹으면 또

아프기를 반복하면서 힘들었다.

종합병원에 가서 복통 때문에 음식을 먹지

못하겠다는 얘기를 하니 너무 힘이 없으면 안

되니까 소프트아이스크림이라도 먹으라고

말씀하셨다.

선생님의 응급처방이었던 것 같은데 그걸

곧이곧대로 믿고 소프트아이스크림 한 개로 하루를

버티며 살았다.

그때는 복통을 겪는 것보다 아이스크림을 먹는 게

낫다고 생각했던 모양이다.

지금 생각하면 어찌 그리도 무지할 수가 있었을까
싶다.
귀한 내 몸의 세포에 영양성분이라고는 단 1도
넣어준 적이 없었던 것 같다.

내가 빨리 알았더라면 너희들은 건강했겠지?

시간이 지나 근근이 직장생활도 하고 결혼도 했다.
그때도 소화제는 달고 살았다.
큰아이를 가졌을 때에서야 정신이 번쩍 들었다.
'약이 아이에게 영향을 주진 않았을까' 하며
걱정하기 시작했다.
그런데 지금 생각해보면 그것만이 문제가 아니었다.
그 시절만 해도 몸 관리는 물론이거니와 마음
관리도 잘하고, 몸과 마음 모두 건강한 상태에서
아이를 가져야 건강한 아이가 태어난다는 것을

완전히 간과했다.

아니 무지해서 몰랐었다.

건강하지 않은 몸으로 시댁에 적응하지 못하며
스트레스를 흠뻑 받는 상태에서 두 아이를 낳고
키웠다.

당연히 아이들이 건강할 리가 없었다.

통증만 없으면 좋겠다

두 아이를 키우면서 면역력이 너무 많이 떨어진
상태여서 발바닥에만 들었던 피멍이 이제는 손가락,
손목, 무릎, 어깨, 팔꿈치, 엉덩이 관절까지
돌아다니면서 염증이 올라왔다.

밤새 잠을 못 잤고, 고통스러울 정도로 통증의
강도가 커지면서 점점 큰 관절로 이동했다.

큰아이를 낳고 분당의 큰 한방병원을 찾았는데도

원인을 모른다고만 했다.

그래서 그 이후로는 이러한 통증으로 병원을 찾은
적은 없다.

아이를 키우면서 너무 강도 높게 피곤함과 통증이
지속 되어서 매일매일 마음속으로 울었다.

'피곤해도 좋고 힘들어도 좋으니 통증만 없으면
좋겠다'라는 게 30대 초반부터의 소망이었다.

골다공증

30대 초반에 건강검진을 받은 적이 있는데
골다공증 수치가 -3.3이라고 하셨다.

수치로 보면 약을 먹어야 하지만 아직 젊으니 뛰는
운동을 해보라고 권하셔서 운동도 열심히 했다.

하지만 어릴 때부터 먹지 못하고 견뎌온 긴 세월의
영양 공백을 운동만으로 메우기는 역부족이었는지

몸의 변화는 아주 미미했다.
머리도 석회화된 곳이 몇 군데 있다는 말을
들었지만 그때는 무슨 말인지 몰라 심각성을 알지
못했다.

달팽이관이 흔들린다

늘 피곤함을 달고 살고, 수시로 머리도 자주 아프고,
조금만 피곤하면 관절 통증이 올라오고, 빈혈증세에
어지럼증은 물론 소화불량에 15일씩 화장실을 못
가는 극상 변비 상태에 허리통증까지.
그 모든 증상들은 나를 너무도 힘들게 했다.
목을 돌릴 때 아픈 부분이 있고, 어깻죽지의 통증과
등 통증이 오는 날도 잦았다.
수시로 달팽이관도 흔들려서 일주일씩 움직이지
못하고 힘든 날도 많았다.

'난 왜 이렇게 건강하지 않을까?' 원인을 모르니
해결방법도 알 수 없었다.

갱년기가 빨리 왔나?

40대에 들어서서 경제적으로 힘이 드니, 몸이 아픈
건 뒤로 하고 부동산 자격증을 취득하여 부동산
사무실을 시작하게 되었다.
주부로만 15년 가까이 생활하다가 일을 시작하니
사람을 대하는 것이 많이 힘들었는지 시작하자마자
2~3달이 채 지나지 않아 몸이 이상해지는 걸
느꼈다.
감당이 안 될 정도로 너무 피곤해서 견딜 수가
없었다.
호흡도 잘 안 되고, 허열이 계속 올랐다.
'갱년기인가? 몸이 안 좋아서 갱년기가 빨리 온

건가?'라고 생각하며 두 달 정도 몸을 방치한 채
일을 하고 있었다.

남편이 나를 피한다

그런데 어느 날부터 걷는데 다리에 힘이 없어
주저앉은 적도 있고, 잠을 자는데 나의 호흡 소리가
니무 거칠어서 남편이 옆에서 잠을 잘 수 없다고
피하는 날이 많아질 정도였다.
내가 느꼈던 모든 증상들은 그러려니 하고 묻어
뒀지만, 남편이 내 호흡소리가 너무 거칠다고
말하니 그제야 내 몸 상태의 심각성을 자각했다.
그제야 병원을 찾았다.

갑상선 항진증

핸드폰으로 검색을 하니 갑상선 문제일 수 있다고
해서 갑상선 전문병원을 찾았다.
급성으로 호르몬 수치가 5배 가까이 높아서 심장이
파열될 수도 있다고 겁을 주시고는 집에서 가만히
쉬어야 한다고 말씀하셨다.
그럴 수 없는 상황이라 약을 복용하며 일을
계속했었다.
약을 먹고 한 달 정도 지났을 무렵, 지인이 가게에
와서 나를 찾는 게 아닌가.
"나 여기 있어요"라고 하니 깜짝 놀라면서
"왜 이렇게 살이 찐 거야? 못 알아봤잖아요." 하는
것이다.
나는 매일같이 내 얼굴을 보니 몰랐던 모양이다.
집에 가서 몸무게를 재니 약 복용 후 한 달 만에
10kg이 쪄 있는 게 아닌가.

깜짝 놀랐다.

힘이 드니 몸이 변하는 것도, 몸무게를 잴 생각도
하지 못 했나보다.

5배나 높았던 호르몬을 빨리 눌러보려고 약을
과하게 쓴 게 문제가 있었던 모양이다.

의사 선생님을 찾아가니 너무 호르몬 수치가 높아서
약을 세게 쓴 듯하다며 미안하다고 했다.

다이어트

그때까지만 해도 나이가 아직 40이니 아픈 거보다
살찐 게 나에게는 더욱 큰 충격이었다.

갑상선 약이 나를 이렇게 만든 것 같아서 1년
정도만에 약을 내려놓고 운동으로 살을 빼리라
결심을 했다.

살을 빼려고 운동하고, 굶기도 해보고, 별짓을 다

했다.

아무리 해도 호르몬 리듬이 깨져서인지 살을 빼기는 역부족이었다.

나의 정신력이 부족한가 많이 자책하기도 했던 것 같다.

그때 친구가 했던 말이 생각난다.

"너처럼 운동하는데 살이 안 빠지니 안타까워."

정신력 문제는 아닌 것 같다.

열심히 노력해도 살을 빼기는커녕 몸만 더 힘들어지는 게 느껴졌다.

이렇게 계속 시간을 보내면 생활을 못 할 것 같아서 3년 만에 사무실을 접어야만 했다.

한약을 지어볼까

건강하지 않은 나 같은 엄마가 낳은 딸이니

큰아이가 건강하지 않은 것은 너무도 당연했다.

그런데 머리도 좋고, 욕심도 있고, 공부를 열심히

하는 것이 보여서, 고등학교 들어가면 더 힘들어 할

것 같았다.

아이에게 한약이라도 먹여야 하나 고민하고 있었다.

이런 걱정을 들은 남편 후배가 본인 친구가

한의사인데 잘한다며 한번 가보라고 했다.

그때가 2014년. 내 나이 44, 큰아이 17살.

고등학교 입학하기 바로 전달인 2월이었다.

왜 먹지를 못하니

한의원에 방문해서 많은 걸 요구하지도 않았다.

몸이 너무 차고 변비가 심하니 치료 부탁드린다고

말씀드렸다.

약을 먹기 시작하고 며칠 지나지 않아 딸아이

졸업식이 있었고, 맛있는 거 먹자고 식당에서 밥을 먹는데, 먹지를 못하는 것이다.

워낙 과묵한 편이라 말을 안 하고 며칠을 견딘 것 같았다.

소화가 안 되고, 몸이 이상하다고 했다.

한약에 문제가 있나 하고 다시 한의원에 방문하니 그럴 리가 없는데 하면서 다시 다른 한약을 조제해 주었다.

여전히 가슴치며 후회한다

난 이상하다는 생각도 들고, 무능력하다는 생각도 들어서 한약을 먹지 말자고 딸을 설득했다.

그런데 딸은 지금까지 뭘 먹어도 자기 몸을 이렇게 반응하게 해준 약이 없었는데, 약을 반대로 쓰면 나에게 약 효과가 나지 않을까 하며 우리 부부를 설득했다.

몸이 그동안 많이 힘들었던 모양이다.

그러니 고집을 부린 게 아닌가 싶다.

논리적으로 설득하는 딸 말을 거부하지 못하고
설득을 당했다.

한의사 선생님이 내가 힘들어하던 갑상선도 고칠 수
있다고 했다.

2년 정도 쉬고 다시 부동산 사무실을 하려고
준비하고 있던 내었기 때문에'나도 한약으로 몸을
좀 추스릴 수 있지 않을까'라는 생각으로 딸과 같이
한약을 먹게 되었다.

지금 생각해보면, 건강해지려는 간절함이
판단능력도 빼앗아 간 듯하다.

한번 몸에 안 맞았을 때 계속 먹이면 안 됐는데...
지금도 여전히 가슴치며 후회한다.

아직도 기억이 생생하다

한약 복용 중 딸이 학교에서 다녀오면 "엄마, 얼굴 근육이 이상해요."

또 어느 날은 "머리 근육이 이상하고, 가슴 근육이 이상해요."라고 말하는 것이다.

딸이 약을 먼저 먹었고, 나는 한약을 5일 정도 복용했을 때였다.

눈이 잘 보이지 않고, 너무 피곤해서 이상하다고 생각하다가, 아이가 고등학생이어서 등교를 빨리하니 기상 시간이 당겨져서 힘이 든 건가 하며, 일상이 나를 피곤하게 한 것이라고 생각하고 있던 즈음.

아직도 기억난다.

세월호 사고가 나고, 울면서 시간을 보내던 이틀 뒤인 18일에 학교에서 딸아이한테서 전화가 왔다.

몸이 이상해서 학교에 못 있겠다며 데리러 와

달라는 것이었다.

부랴부랴 달려가니 아이가 절뚝거리면서 학교에서
나오는 게 아닌가.

오른쪽 몸이 마비된 상태였다.

그래도 내 곁에 있잖아

그해 1년은 내내 울고만 살았던 것 같다.

'세월호 아이들은 안타깝게 다 엄마 곁을 떠났는데
그래도 우리 아이는 내 곁에 남아있잖아' 하며 나를
위로했다.

그 생각만을 붙잡고 견뎌냈다.

이 글을 쓰고 있는 지금도 눈물을 훔치고 있다.

아이가 몸에 힘이 없어서 움직이지를 못하니 어찌
말이나 글로 내 마음을 표현할 수가 있을까.

지옥 같은 시간

그 해에 남편도 죄책감으로 우울증에 시달렸다.
정말 지옥 같은 시간이었다.
그 뒤로 아이를 살리려고 7년을 너무 많은 돈과,
노력과, 시간을 들이면서 헤맸다.
우리는 많이 지치고 포기한 상태였다.

무너지는 자존감

나 또한 한약을 5일밖에 먹지 않았는데도 몸이
너무 망가져 버렸다.
눈도 잘 안 보이고, 머리는 매일 압착기로
찍어누르는 것처럼 깨질 것 같았다.
목과 어깨, 팔, 등 전체가 통증으로 매일매일
경락을 받는 것보다 더 힘든 통증이 있었다.

그러면서 매일 너무 피곤하고, 퉁퉁 부은 상태로
일을 하고 있었다.

부동산 사무실을 준비하면서 한약을 먹었기에
개업을 안 할 수가 없었고, 바로 다시 접을 수도
없었다.

이렇게 힘든 시간이 지나면서 몸이 안 아픈 곳이
없었다.

갑상선 항진증이 심하게 오고, 약을 복용하고,
한약을 잘못 먹고.

이런 과정을 겪고 나니 점점 더 살이 쪄서
13kg정도까지 쪘다.

이때 찐 살은 무슨 짓을 해도 빠질 생각이 전혀
없었다.

자존감이 계속 무너져 갔다.

선생님 감사합니다

여기저기 너무 아프고 견딜 수가 없어서 정형외과를
찾았다.

허리와 목이 너무 아프다고 하니 MRI 촬영을 했다.

허리도 문제지만 경추 디스크가 심각해서 당장
시술이 아닌 수술을 해야 한다고 하셨다.

"목과 팔이 많이 아플 텐데요."라고 하셨다.

목도 팔도 등도 매일매일 통증이 너무 심했지만,
참을만하다고 했다.

그러니 선생님께서

"나이가 어리신데 경추 수술을 하면 힘이 많이
빠지니까 지금 심각하지만 참을 만큼 참아보고 팔이
끊어질 정도로 아프면 다시 오세요"라고 하셨다.

난 팔도 찢어질 듯 아팠고, 목도 돌리지도 못 할
정도로 아팠지만, 경추를 수술하기는 너무 무서워서
수술을 해야겠다는 말이 입에서 나오질 않았다.

그래도 그때
'당장 수술을 하셔야 됩니다'라고 겁을 많이
주셨으면 수술을 했을지도 모르겠다.
지금 생각하면 너무너무 감사한 선생님이다.

오키나와 치료원

뭔가 답답한데 정형외과 분야 말고는 병원에 가고
싶지 않아서 헤매던 끝에, 일본 오키나와에 열
치료를 하는 병원이 있어서 가게 되었다.
세포를 검사하는 기계가 있어서 검사를 하고 설명을
듣는데, 나는 같이 갔던 암 환자분들보다 더 많은
부분이 안 좋게 결과가 나왔고, 결과지에
빨간색으로 표기된 곳이 너무 많았다.
통역하시는 분이 너무 많이 안 좋아서 다 설명은
안 하신다고 하시면서 몇 가지만 말씀해주셨다.

뇌출혈이라고요?

세포에 융털이 거의 다 빠진 상태여서 비타민과
단백질이 몸에 전혀 없다고 말씀하셨다.
심장도 많이 약하니 심장을 따뜻하게 열을 대라고
하신 기억도 난다.
나쁜 걸 간추려 얘기해 주셨는데도 내용이 많아서
기억도 잘 나지 않는다.
제일 충격적이었던 건 뇌출혈 증세가 있으니
조심하라는 내용이었다.
통역 해주신 분이 진료실에서 나와 이렇게
말씀하셨다.
"선생님은 이런 말씀을 쉽게 하시지 않는 분이니
신경을 쓰셔야 될 것 같아요."

내 남편, 내 새끼들 어떡하지

마음이 많이 복잡했다.

'내가 쓰러져서 죽으면 괜찮은데, 혹시 쓰러진 채로
누워있게 되면 어떡하지.

평생 일만 하고 와이프 아프다는 소리만 듣던 우리
남편 불쌍해서 어쩌지?

또 아이들은 어쩌지? 한약으로 나보다 더 망가진
우리 딸은 어쩌지?'

별별 생각을 다 했다.

이제야 심각성을 깨닫다

한국에 오자마자 가게부터 정리했다.

쉬면서 몸 관리를 하면 괜찮아지지 않을까 하는
기대감으로 부동산 사무실을 정리했다.

몸 상태로 보면 한참 전에 정리하고 요양을 해야
했다.
쓰러질 수도 있다고 하니, 바보같이 끌어안고 있던
미련의 끈을 그제야 놓은 것이다.

몸이 일으켜지질 않는다

일을 쉬면 조금 나아질 줄 알았던 몸이 웬걸... 잠깐
운동을 하면 며칠씩 누워있어야 하고 일어나지도
못했다.
그걸 2년 반 동안이나 반복했다.
좋아질 줄 알았던 몸이 더 엉망이 되어가는 듯했다.
2년 반을 앓고난 뒤, 머리 통증, 목, 어깨, 팔 등
모든 통증이 더 심해지고, 등도 통증이 전체로
번져서 더욱더 힘든 시기를 보냈다.
더 추가될 증상이 없을 줄 알았는데 있더라.

그렇게 가지런했던 내 이였는데

잇몸도 다 주저앉았다.
가지런해서 이 하나는 자신 있었던, 그렇게 예뻤던
내 이가 다 벌어져 있었다.
치과에 가니 의사 선생님께서 그 전 사진을
보여주시면서 도대체 2년 반 동안 무슨 일이
있었던 거냐고 놀라셨다.
얼굴은 더욱 까맣게 변해서 화장을 안 하면 거의
90대에 가까울 정도였다.
손등도 완전 새까맣게 변해서 창피해서 손을 내밀
수가 없었다.

좋은 제품을 먹어도 효과가 없다

이 시기는 매일매일 통증으로 고생하고 있을 때여서

어떻게 하면 빨리 죽을 수 있을까를 매일 고민했다.
그런데 어린 나이에 나보다 더 고통스러울 딸
아이를 지키려고 목숨의 끈을 악착같이 잡고 있었던
것 같다.
2014년 한약을 먹고 사고가 나면서부터, 딸아이
살리겠다고 건강보조식품으로 쓴 돈이 시골의 집 한
채 값은 되는 듯하다.
남들은 좋다는 네트워크 식품을 찾아서 열심히
먹어도 나와 딸에게는 반응이 별로 없었다.
지금 생각해보면 소장에 융털이 거의 다 빠져서
영양분을 흡수하지 못하니, 건강보조식품이
우리에게 영향을 줄 리가 없었던 것 같다.

대상포진

2020년 초, 아파서 힘들다 힘들다 하니

대상포진까지 왔다.

그때까지만 해도

'나는 왜 안 아픈 곳이 없을까' 하고 원망하면서도

이 모든 게 혈 때문이라는 것을 깨닫지 못했다.

대상포진으로 몇 달을 고생하고 나서 건강검진을
했다.

와우.. 또 뭐가 있단다.

난소에 물혹

난소에 물혹이 너무 크니까 병원에 가서 진료를
받아보라고 하셨다.

산부인과를 몇 번 다녔다.

살펴보시더니, 물혹이 작아지지 않고 크는 것

같다고 수술을 권유하셨다.

난소 한쪽만 수술하는 건 별로 문제가 없다는 말에

수술을 하기로 했다.

수술을 하고 나서 수술결과에 대해 말씀해주시는
자리에서, 반대편 난소에도 작은 물혹이 있어서
수술하는 김에 일부 절단했다고 하시며 생리가 안
나올 수도 있다고 말씀하시는 것이다.
'작은 건 문제가 없다고 하더니 왜 말도 없이
절단했을까?' 의문이었지만 따지진 못했다.
아는 게 없으니 따질 수가 없었다.

불면증

갑자기 건드린 난소 때문에, 그날 이후로 1시간
이상 잠을 잘 수가 없었다.
8개월 동안 밤새 집안을 헤매고 다녔다.
너무 괴롭고 힘든 시간이었다.
나와 딸은 한약을 먹고 힘들면서부터 불면증이 더욱

심해져 밤새 같이 헤매는 날이 많았는데 난소 수술
후 더욱더 심해졌다.

남편은 2016년 사업을 시작하면서 스트레스를 너무
많이 받고 잠을 잘 시간도 없이 일하다 보니 같이
불면증에 시달리고 있었다.

가족 모두가 불면증에 시달렸고 통증으로 힘든
시간을 보내고 있었다.

드디어 만나다. 독일피엠.

그러던 중 20년 이상을 알고 지내던 동생이,
'아는 언니가 등이 많이 아팠는데 몇 년 동안
병원을 다녀도 안 고쳐지던 통증이 독일피엠이라는
것을 먹고 나았대.'라며 한 번 먹어보라고 했다.

내가 좋아하고 신뢰하는 동생이라 바로 전화번호를
달라고 했다.

건강보조식품을 많이 먹어보았는데 독일피엠은
들어보지 못한 회사였다.

하지만 그때는 너무 간절했다.

그전엔 우리에게는 도움이 안 된다고 생각했던
건강보조식품들이었지만, 마지막으로 한 번만 더
먹어보자 싶었다.

다시는 효과도 없고, 돈도 많이 드는 이런
건강보조식품을 안 먹고 운동으로 극복해 보겠다던
딸도 마지막으로 한 번만 먹게 해 달라고 했다.

빛

독일피엠을 먹기로 한 선택이 끝이 보이지 않던,
길고, 어두운 터널에 빛이 될 거라고는 전혀
생각지도 못했다.

우리 가족에겐 너무나 많은 것을 바꿔준 계기가 된

날이어서 절대절대 잊을 수가 없다.

2020년 11월 22일.

PART 2

딸이야기

몸이 멋대로 움직인다

아침 조회 시간에 앉아있는데 갑자기 오른쪽
종아리가 자기 마음대로 꿀렁꿀렁 움직이기
시작했다.
오른쪽 광대도 따라서 씰룩이고, 오른쪽 눈도
꿈틀거렸다.
오른쪽 머리 두피도 으쓱으쓱 앞뒤로 왔다갔다
움직였다.
얼굴을 꾹꾹 눌러 비벼보고 쫙 늘렸다가 놓아보고
진정시키려 애를 써도 잘 안 된다.
뭔가 이상했다.
내가 계속 꼼지락꼼지락 움직이며 조회시간에
집중을 못 하니 선생님께서 주의를 주셨다.
그리곤 나를 빤히 보시더니 '얼굴이 이상하네?'
하시더라.
내가 '뭔가 이상해요' 하니 선생님께서 바로

어머님을 오시라 해야겠다 하셨다.

잘 걸어지지도 않았다.

힘도 없고, 종아리가 멋대로 꿀렁거렸다.

처음 느끼는 느낌이다.

몸에 마비가 왔다.

소송하고 오세요

엄마가 나를 데리러 왔다.

그때 엄마의 놀라던 표정이 아직도 선명하다.

아빠와 전화를 하더니 나를 한의원으로 데려갔다.

문제의 그 한의원 말고 다른 한의원이었다.

한의사 선생님이 키도 크시고 덩치도 엄청 좋으시고

무엇보다 눈이 부리부리 번쩍였다.

예사롭지 않았다.

내 맥을 짚어 보시더니 나는 나가 있으라고 하셨다.

나는 대기실에서 기다렸고, 엄마는 한의사 선생님과
말씀을 나눴다.

차를 타고 집에 가면서 엄마가 울면서 말했다.

"상태가 심각해서 한약 지어준 한의원 상대로
소송해서 책임을 명료화하지 않으면 치료해줄 수
없대. 절대로 책임을 묻지 않을테니 살려만 달라고
했어. 생각해보시겠대."

말을 마치자마자 엄마는 또 울기 시작했다.

고등학교 휴학

선택의 여지가 없었다.

바람도 쐬지 말고 집에 있으라니 학교를 휴학할
수밖에 없었다.

대한민국에서 고등학교 휴학이라니.

받아들이는데 시간이 꽤 필요했다.

3개월은 그냥 침대에 누워만 있었던 것 같다.

밥 냄새를 맡으면 헛구역질이 나고, 밥을 먹고 난

뒤에는 체하고, 차를 타면 멀미하고, 몸에는 힘이

없고, 계속 잠이 왔다.

뭔가를 할 수 있는 상태가 아니었다.

이 또한 지나가리

(왼발) 이 또한 (오른발) 지나가리

(왼발) 이 또한 (오른발) 지나가리

(왼발) 이 또한 (오른발) 지나가리

나의 고등학교 시절 등교 구호다.

등교할 땐 속상하고 또 속상한 마음을 달래야 한다.

자칫 우울감까지 연결될 수 있기 때문이다.

'괜찮아 괜찮아 더 성장하는 계기가 될거야.'

내가 나에게 말한다.

'아니야, 그래도 이건 너무하잖아.'

또 다른 내가 말한다.

'세상에 어려운 사람들이 얼마나 많은데? 이정도로 징징거릴만큼 약하단 말야?'

'알아 아는데..맞아. 나는 부모님도 계시고, 이렇게 학교를 갈 수도 있고 운이 좋은 사람이지.'

고등학생 땐 속상함으로 점철된 나의 나약한 마음을 달래느라 사회적으로 국가적으로 어려운 사람들의 이야기를 많이 찾아봤다.

전쟁이 난 나라도 있고, 태어났더니 고아인 아이들도 있고, 보기에 기형인 몸을 가진 사람들도 많고.

'그래 나는 보기에는 정상이잖아.'

죽느냐 사느냐 그것이 문제로다

그렇게 나를 달래서 교실에 도착하면 그때부터는
죽느냐 사느냐의 문제다.

속상함? 사치다.

고등학교 때 가장 고통스러웠던 건 환경이었다.

30명이 넘는 학생들이 한 공간을 사용하다보니
모든 학생들의 상황에 맞출 수 없다.

다수결이 가장 공평한 방법이었는데 다만 나는 항상
다수에 속하지 않는다는 게 문제였다.

그리고 몸이 약하면 예민해져서 내가 원하는 환경이
조성되지 않았을 때 받는 타격감은 배가 된다.

자연 바람보다 선풍기 에어컨 바람을 좋아하는
학생들이 많았고, 햇빛보다 블라인드 친 아늑한
환경을 좋아하는 학생들이 많았다.

환기가 안 된, 30명이 넘는 사람들이 내뿜는
이산화탄소에, 간식 비린내까지.

아주 고역이다.

튀김이나 고기 냄새를 맡으면 바로 비위가 상하고
메스껍기 시작했기 때문에 간식 냄새도 나에겐
고통이었다.

교실 들어가자마자 머리가 띵하게 아파온다.

'오늘도 시작이다. 버텨내자 파이팅.'

목표는 하나. 졸업만 무사히

오래된 학교라서 의자도 딱 맞게 평행한 것이
없어서 항상 허리를 부여잡고 있어야 했다.

대부분 스탠딩 책상에 서서 수업을 들었고, 무릎이
너무 아파오면 의자 끝에 살짝 걸터앉아 무릎이
괜찮아질 때까지 쉬어주고 다시 일어났다.

무릎보다 허리가 더 급했기 때문이다.

공부내용이 들어올 리가 없다.

성적? 사치다.

나의 목표는 하나였다.

졸업만 무사히 하자.

거식증과 폭식증

처음에는 급식을 신청해서 먹었다.

그런데 급식을 먹으니 속이 너무 안 좋았다.

위가 거북했고, 머리가 아팠고, 식곤증이 왔다.

남은 수업시간을 견뎌내기 위해 급식을 안 먹기
시작했다.

먹지 않으면 속이 그나마 편했기 때문이다.

집에 도착해서는 초콜릿을 먹었다.

묵직한 음식을 먹으면 그 다음날 학교에서
힘들까봐서 최소한의 당만 섭취했다.

평일날 참았던 식욕은 금요일 저녁부터 폭발했다.

꿈에 음식들이 나왔다.

일요일은 학교에 안 가니까 토요일엔 편하게 먹을
수 있었다.

5시간 동안 먹다가 토한 적도 있다.

기이한 식습관을 3년 가져갔다.

20kg이 쪘다.

탈진

고등학교 때는 하루에 평균 4번씩 탈진했다.

일단 호흡부터 안 된다.

그리고 샤프를 쥐고 있던 손에서 힘이 풀린다.

눈이 풀리고 온몸이 땅으로 빨려 들어가는 듯 하다.

그땐 생각한다.

'왔구나. 또 이겨내주겠어.'

내가 어디에 있건 내가 엎드릴 수 있는 가장

가까운 곳을 찾아서 엎드린다.

다른 반 교실에 가서 엎드려 있었던 적도 있다.

눈을 감고 생각을 내려놓는다.

숨을 크게 들이쉬면 숨이 잘 안 쉬어진다는 사실만 더 명확히 인지하게 되니 숨을 최대한 작게, 아껴서 쉰다.

그러면 숨이 잘 안 쉬어진다는 사실을 조금은 숨길 수 있게 된다.

나를 속이는 거지.

학교에서는 길면 20분 빠르면 5분 안으로 끝난다.

그 시간이 끝나고 몸에 힘이 조금 들어오면 다시 할 일을 하러 일어난다.

고마운 친구들

전체 학급이 대강당에 모였다.

부장 선생님의 말씀이 끝나고 한 학급씩 교실로
돌아간다.

"9반 뒤로 돌아"

어라 다리가 안 움직인다.

저렸던 다리가 오랜 시간 굳어서 정말 찔끔도 안
움직인다.

오늘 유독 말씀이 길더라 했다.

절뚝도 안된다.

아예 움직여지지가 않는다.

큰일났다.

"교실로 가"

나는 반장이라 맨 앞에 앉았고 뒤로 도니 마지막
줄에 서게 되어 친구들은 내 모습을 볼 수 없었다.

다른 반 학생들이 다 모여있어서 목소리 내기가
쑥스럽다.

우리 반 친구들이 멀어져간다.

아 어떡하지..

옆 반 친구들이 잠시 상황파악을 하더니 우르르
달려와서 나를 부축해 일으켜 세워줬다.
너무너무 고맙다.

내 발뒤꿈치에는 송곳이 달렸나봐

몸이 약해지면 살도 약해져서 일단 뭔가 딱딱한 게
닿는 부분은 다 상처가 난다고 보면 된다.
안경을 맞출 때도 새 안경은 귀가 한번 헐어서
피를 봐주고, 코도 물집이 잡혀줘야 신고식이 끝난
거다.

신발은 신고식으로 끝이 아니다.
꽤 까다롭다.
일단 발뒤꿈치에 밴드 두 겹씩은 신발을 신기 위한
준비조건이다.

그렇게 해도 조금 걷다 보면 따갑다.
신발을 확인해보면 뒤꿈치에 닿는 부분이
너덜너덜해져있다.
고등학교 땐 일주일에 한 켤레씩 신발을
바꿔줘야했다.
왜 신발이 계속 헐까?
내 발뒤꿈치에는 안 보이는 송곳이 달린걸까?
발뒤꿈치도 까지고, 신발도 찢어지고.
지금도 이유를 잘 모르겠다.

네가 왜 거기서 나와

나는 피가 부족한 편이다.
체 했을 때 손을 따면 찔끔 나오고 피가 금세
자취를 감춘다.
생리혈 양도 적고, 세포 검사를 하니 적혈구 분포가

아주 여백의 미가 있더라.

헌혈 자격요건이 안되는 학생들이 저기 모여있다.

나도 저기에 가야 하는데 나만 오동통하네.

저기 서 있는 세 명의 학생을 합치면 나 한 사람
정도 되겠다.

으아 가기 싫다.

신발끈을 묶으려 했을 뿐이야

고3 때 신발끈을 묶으려고 무릎을 굽혔는데 느낌이
쎄했다.

연골이 돌아간 것 같은데..? 일단 신발끈을 다 묶고
일어나려 하는데 와우.

안 일어나진다.

뭔가 돌아간 것 같은데 나도 하다하다 신발끈
묶으려고 무릎 살짝 굽히다가 무릎이 나간 건

처음이라 웃음이 나왔다.

몸이 약해지니 모든 몸의 관절과 연골이 약한
편이었다.

턱관절 때문에도 많은 병원을 찾아다녔고, 고관절이
항상 턱턱 걸리는 건 자연스러운 일이고, 어깨도 한
번씩 빠지고, ·발목도 잘 삐는데 이제는
무릎연골까지 경험하는구나.

두 달간 절뚝이며 보호대를 하고 다녔다.

친구가 물었다.

"오 뭐야? 갑자기? 왜 그런 거야?"

내가 대답했다.

"아침에 신발끈 묶다가 무릎 연골이 돌아간 것
같아."

　친구 눈이 땡그라진다.

"엥?"

'그래 나도 엥이다. 나도 안 믿기는데 네가 못 믿는
건 너무 당연하지.'

그냥 흐흐 웃었다.

진짜 웃음이 나왔다.

친구도 흐흐 웃었다.

같이 깔깔거리며 수업 들을 준비를 했다.

레슬링

내 다리는 너무 딱딱하고 차갑고 멍도 많이 났다.

의자에 앉아만 있어도 저려서 앉았다 일어났다를

수시로 해줘야 했다.

그래서 다리 마사지를 받아본 적이 있다.

마사지를 받으면 다리 순환에 도움이 되려나

싶어서.

"운동 좋아하세요?"

어색한가보다. 말을 거시네.

"운동이요? 음..공놀이? 좋아하긴 해요."
"레슬링 하셨어요? 다리가 좋으시네요."

아..레슬링..
다리가 단단하다 못해 항상 퉁퉁 부어있었고 멍도
많이 있으니 운동을 하는 줄 아셨나보다.
"다리가 좋으셔서 손에 힘이 많이 들어가요. 허허."
"아..죄송합니다.."

약해지면 어떻게 될까?

미용실에 자주 갈 필요가 없다.
머리가 잘 안 긴다.
고등학교 때는 일 년에 한 번 가서 살짝만
다듬으면 충분했다.

머리카락이 약해서 햇볕만 쬐도,
드라이기만 해도 눈에 띄게 갈색으로 바뀐다.

마법에 걸린 날엔 이틀 간은 꼼짝마라 누워있어야
한다.
심지어는 검은 가루가 나오는 달도 많았다.
빨간 피를 검게, 액체를 고체로 만들어버린 내 몸
안에서 무슨 일이 있었던 걸까 궁금하다.

멍이 잘 들고, 멍이 잘 낫지 않는다.
타박상 멍뿐만 아니라,
부딪힌 적이 없어도 그냥 몸 안에서 멍이 드는
경우도 많다.

한여름에 수면양말.
심지어 지속적으로 갈아줘야 한다.
발이 차고 습해서 양말이 젖기 때문이다.

축구양말 정도의 길이감은 필수다.

도어락이나 전기스위치을 만질 땐 소매 끝을 늘여서
손가락을 덮어야 한다.
맨손으로 만졌을 때 전기가 통하다 못해 눈앞에
불꽃이 타르륵 튀길 때도 있었다.
아이구 깜짝이야.

PART 3

우리엄마는

눈물많은

슈퍼우먼

오른손이 한 일을 왼손이 모르게 하라

집안일은 아빠 모르게 해야한다.

주말에도 아빠는 오전시간 동안에 연구실에 가 계신다.

내가 청소기 담당인데 청소기는 오전 시간 안으로 돌려야 한다.

미리미리 여유있게 돌려야 한다.

아빠 오실 시간 안으로 맞춰 돌리려고 나름 계획을 했는데, 갑자기 윙~~ 소리가 난다.

엄마가 청소기를 잡았다.

"어? 뭐예요? 제가 하려고 딱 생각을 하고 있었는데?? 좀 이따 할건데요?"

아빠 오셨을 때 청소한답시고 요란하게 돌아다니는 모습 보이지 말고 미리미리 하란다.

와우..

"네..다음부터는 미리미리 여유있게 움직일게요."

"여보, 잘 다녀오세요."와 동시에 엄마 일은
시작되고,
"우리 남편, 잘 다녀오셨어요? 고생하셨어요."와
함께 행동정지다.
아빠가 오시면 거실에서 아빠의 옆자리를 지켜줘야
한다는 게 엄마 생각.

나는 엄마의 이런 모습이 좋다.
나도 결혼하면 내 남편에게 이렇게 해 줘야지.

엄마가 알려준 사랑

주말에 아빠가 낮잠을 주무실 때, 우리는 모든
동작을 10퍼센트로 유지해야 한다.
예를 들면, 정수기 물을 먹을 때, 평소에는 컵을

놓고 버튼을 누르면 된다.

하지만 아빠가 주무실 때는 컵을 들고 물이
내려오는 타이밍에 맞춰서 컵을 조정해서 소리가
최소한으로 들리게 해야 한다.

문을 닫을 때도, 평소에는 그냥 닫으면 되지만,
아빠가 주무실 때는 문고리를 누른 상태로 조용히
문을 닫고 나서 문고리를 놓는다.

그냥 닫으면 문고리에서 찰칵 소리가 나서 아빠가
깰 수도 있단다.

티비, 휴대폰 볼륨 낮추는 건 기본이고, 말소리도
소곤소곤 해야 하며, 발걸음도 조심히 걸어야 한다.

아빠가 주무시는 안방 화장실은 너무 급하지 않으면
이용하면 안 된다.

강하게 규정된 규칙이라기보다 우리 집의 암묵적
배려이다.

나와 동생은 엄마가 아빠를 배려하는 마음이
느껴지고, 하기 어려운 일도 아니어서 엄마의

제안을 지키고 있다.

한번은 이런 일이 있었다.
엄마가 안방에 볼일이 있는 듯 보였는데 방에
들어가지 않고 안방 기둥 옆에 기대어 서 있었다.
왜 안 들어가느냐고 물으니 아빠가 깨실 때가 다
되어서 조금 더 기다려보고 싶다고 말했다.
새삼 엄마의 배려를 느꼈던 순간이었다.
엄마를 보고 있으면 엄마는 뭔가를 행동할 때 이미
가족들에 대한 배려가 뼛 속 깊이 탑재된 듯했다.
이런 사람이 우리 엄마여서 너무 감사하다.

식사를 할 때면

식사를 할 때면, 식사 준비에 내가 참여하면 상관이
없지만, 조금 늦었을 경우에 내가 반찬들을

재배치해야 한다.

맛있는 것들은 죄다 가족들 쪽이다.

나는 네 식구가 균형이 맞게 다시 따뜻한 몇몇
반찬들을 엄마 자리 주변의 찬 반찬들과 바꾼다.

외식을 할 때도 내가 찬바람을 맞으면 안 된다며
바람 없는 자리를 고르고, 좌석 배치도 좋은 자리는
나에게 앉으란다.

꼭 내가 힘으로 밀어야 나를 한번 노려보고는
마지못해 좋은 자리에 앉는다.

치킨을 시키면 다리는 싫단다.

목이 좋단다. 날개랑.

오케이 날개는 인정.

목도 쫄깃하니까 인정.

다리가 싫다고 하는 건 지금도 진심인 건지 우리를
위한 선한 거짓말인지 분간이 안 간다.

동생은 엄마가 줬다며 자기 몫을 다 먹고도 엄마

몫을 홀라당 먹는다.
'아이고 동생아, 언제 철들래'

잡기놀이

가벼운 장바구니도 내가 들기만 하면 화들짝 놀라서
뛰어온다.
맨날 잡기놀이를 해야한다.
요즘은 내가 조금 더 빨라서 안 뺏긴다.
한약을 잘못 먹고 나서는 힘이 없어서 짐들을 거의
빼앗겼고,
가끔 짐들을 지켜낸 날엔 짐을 내려놓을 때 떨리는
내 손을 보고는 엄마는 또 울먹인다.

어린시절

어릴 때도 엄마는 정말 하루종일 우리들과 함께
했다.
나는 엄마가 옆에서 학습지 푸는 걸 봐주는 걸
좋아했고,
동생은 엄마와 함께 밖에서 노는 걸 좋아했다.
학교 다녀온 후 나란히 앉아서 3시까지는 내가
좋아하는 걸 해줬고,
그 이후는 나가서 놀았다.
자전거, 인라인 스케이트, 놀이터에서 잡기놀이,
딱지치기, 팽이 돌리기, 겨울엔 썰매까지 실컷
놀다가 저녁을 먹는다.
저녁 먹고 또 시작이다.
학종이 앞에 두고 손뼉치기, 학종이 문틈에 넣기,
구슬치기, 오목, 다음날 낮에 가지고 놀 딱지
만들기.

참..우리 엄마 혼자서 힘들었겠다 싶다.

덕분에 어린시절, 항상 즐거웠다.

넌 엄마한테 잘 해야해

나는 특히 엄마 에너지가 많이 들어갔다.

초등학교 때 피아노를 쳤는데 연습을 밤 늦게까지

하니 저녁시간부터 대기하는 게 엄마 일이었다.

저녁 7시쯤부터 피아노 학원에 가서 11시까지 나를

기다렸다.

방학 땐 작은 지역 대회를 하는데 학원 아이들을

실어날랐고, 연습 중간중간 식사시간 때 아이들을

챙겼다.

가만히 좀 있어 주겠니?

쓰면서도 '제발 그만해' 싶다.

'가만히 좀 있어봐. 엄마 좀 그만 힘들게 해.'

더 남았다.. 중학교 3학년 때는 전교부회장을 했다.

후보가 없단다.

네가 맡으면 좋겠단다.

말도 없고, 고지식했지만 욕심이 있었는지 그 중3이

자기가 하겠다고 했다.

제정신이 아니다.

그 아이는 하자마자 자기 길이 아니라는 걸

직감했고, 활동도 거의 못 하고 흐지부지 1년을

보냈다.

반면 엄마가 전교부회장이었다.

엄마는 매주 몇 번씩 학교 일을 해야 했다.

정말 그때의 철없던 내 결정을 후회한다.

엄마가 고생을 너무 많이 했다.

어깨 주무르기

어릴 때부터 엄마는 어깨를 주물러 달라고 많이
했다.
그럴 때마다 평소엔 잊고 지내다가 새삼 엄마가
얼마나 힘들까 하는 생각에 최선을 다해서 꾹꾹
주물렀다.
근데 사고 이후로는 조금만 힘을 줘서 주물러도 팔
전체가 부르르 떨린다.
힘을 주지를 못 하는 거다.
그걸 보고는 깜짝 놀라서 그 이후로는 절대로
주물러 달라고 안 하신다.
한 번은 버티다 너무 아팠는지 동생보고 주물러
달라고 했다.
동생이 조금 주무르는 척하다가 도망갔다.
내가 슬며시 앉았는데 너는 저리 가란다.
절대 안 된단다.

슬펐다.

엄마의 사랑이 느껴지고, 엄마의 고통이 느껴지고,
내 상태가 참담해서 든 복합적인 감정이었다.

꽉 찬 내 마음은 전부 엄마 덕분입니다

우리 집은 부유한 집이 아니다.
부유한 집이 아니기는.
맨날 돈 때문에 힘들었다.
하지만 내 마음은 항상 부유했다.
부족한 걸 느끼지 못했고, 아쉬운 게 없었다.
항상 사랑받는다고 느꼈고, 보살핌 받고 있다고
느꼈다.

그래서 나가서도 당당할 수 있었다.
나는 그냥 나답게 덤덤하게 행동했다고 생각한

부분에서도 친구들에게서 어떻게 그렇게 당당하게
확신있게 선택할 수 있느냐는 말을 많이 들었다.
전부 엄마 덕분이라고 생각한다.
진심으로.

나는 덤덤한 편이다

나는 덤덤한 편이다.
소심한 편이기도 하다.
내가 힘들어도
'더 힘든 사람들 많은데 이 정도는
이겨내야지.' 하는 편이고,
상대가 힘들어 보여도
'내가 위로해 줄 자격이 있을까. 내가 뭐라고.'
이렇게 생각하는 편이다.

어느 날은 학교에서 짝지가 수업시간에 자길래
'어제 피곤했나보다.' 생각하고 그냥 뒀다.
그런데 쉬는 시간에 깨서는 나더러 깨워주지도
않느냐고 너무하단다.
나는 뭐라고 해야 좋을지 몰라서 대답을 못 했다.

체육시간에는 이런 일이 있었다.
배드민턴부에 후배가 들어왔다.
선생님께서 나더러 후배들 좀 가르쳐주라고 하셨다.
근데 나는 나도 못 하는데 내가 함부로
가르쳐줬다가 잘못된 동작이 몸에 베면 어쩌나
생각이 들어서 못 가르쳐주겠다고 했다.
선생님께서는 그냥 네가 알고 있는 것을 알려주라고
하셨다.
나는 내가 알고 있는 게 없다는 생각이 들었지만
일단 알겠다고 대답했다.

생각이 필요없는 사랑의 본능으로

이런 나에게 엄마는 사랑이 뭔지 알려줬다.
항상 내 마음을 꽉 차게 해줬다.
내가 이런저런 생각 뒤에 행동을 단념할 때,
생각이 필요 없는 본능으로 튀어나오는 행동으로
사랑을 표현해줬다.
항상 엄마가 내 뒤에 버티고 서있다는 것을
알려줬다.
아마 엄마가 없었으면 몸도 몸이지만 무엇보다
마음이 먼저 무너졌을 거다.
엄마는 항상 나에게 너는 특별하다고 말해줬고,
너만 괜찮으면 나는 괜찮다고.
다 괜찮다고 말해줬다.

우리 엄마 꿈은 건물주

볼일을 보고 집에 돌아왔다.

엄마가 소파에 기대서 귤을 까먹으며 울고 있다.

티비를 슬쩍 보니 부모님이 일찍 돌아가셔서 홀로 사회에 나가게 된 불쌍한 아이들의 이야기가 방송 중이었다.

"내가 돈이 많으면 건물 큰 걸 하나 사다가 저런 아이들 다 먹여주고 재워주고 교육도 시키고 싶어"

엄마가 말했다.

나는 잠시 생각하고 말했다.

"의도는 좋은데 문제가 많을 것 같은데요. 저 나이대는 좋은 환경에서 잘 지내도 정신적으로 변화가 있을 때라 어떤 문제가 생길지도 모르고 괜히 곤란해질 것 같은데요. 가볍게는 같이 사랑을 줘도 덜 받았다고 느끼는 쪽이 원망을 할 수도 있고, 무겁게는 엄마가 보살핀 아이들이 다른

곳에서 사고를 낼 수도 있고, 지내는 내부에서
문제가 날 수도 있고, 법이 선한 의도를 가진
사람을 어느 정도로 보호해주는지도 알 수 없고요.
잠깐만 생각해도 섣불리 마음만으로 할 수 있는
일이 아닌 것 같은데요?"

엄마가 나를 보더니

"그래 네 말이 맞네." 하더니

또 울면서

"그럼 쟤들은 어떻게 하지?" 했다.

한참을 생각하더니

"그래도 도와줄 방법이 있지 않을까?" 했다.

나랑은 정말 다른 사람이다.

나는 나 같은 성향의 사람보다 엄마 같은 사람이
많아야 세상이 밝아진다고 생각한다.

사람들이 힘들어요

요즘 장례식장에 갈 일이 꽤 많았다.
친구 아버지도 암으로 돌아가셨고,
아빠 지인분 중에서도 갑자기 돌아가셨다.
아빠가 사람들을 만나고 돌아오셔서 저녁 식사
시간에 이런저런 이야기를 하시면 엄마는 바로 울기
시작한다.
너무 안타깝다며 동동거린다.
"다 전체적으로 안 좋아서 피가 제대로 돌지
못해서 그런건데. 부분 치료를 하는 건 오히려 몸을
더 안 좋게 만드는 건데." 하시며 아빠 지인들의
이야기에 눈물을 흘린다.
개인적인 내용이라 자세히 적지 못해서 그렇지 정말
셀 수 없이 많다.
몸부터 정신까지.
많은 사람들이 고통받고 있다.

아빠도 사업하시고 스트레스를 많이 받으셔서 7kg이나 찌셨는데 독일피엠을 만난 이후 사업 시작하고 쪘던 살보다 더 빠지고 건강해지셔서 엄마 말에 공감하신다.

유명인들이 이렇게 관리한다며 일상을 보여주는 프로그램을 보면서도 항상 독일피엠을 외친다.
"저거 다 소용 없는데."
또 어떤 운동선수가 독일피엠을 챙겨 먹는 것을 보고는
"그렇지 그렇지. 피부가 깨끗하고, 몸이 다부진 이유가 있었네." 하신다.
엄마 본인이 살아났고, 내가 살아났고, 아빠가 살아났다.
엄마는 독일피엠 이야기만 나오면 눈이 반짝반짝해지고 목소리가 커지고 말이 빨라진다.
아빠와 나는 차분한 성격이라서 엄마가 흥분해서

말할 때면 뒤에서 흐뭇한 미소를 짓고 있다.
성격이 안 받쳐줘서 엄마처럼 온몸으로 표현하지는
못 하지만 공감하기 때문이다.
독일피엠 덕분이라는 걸.

독일피엠은 나의 생명수

"으악"
엄마가 소리를 질렀다.
자다가 갈빗대에서 강한 통증이 느껴졌단다.
소리를 그렇게 크게 질러놓고는 생긋 웃으며
말한다.
"또 어디 고치고 있나보다."
나 참. 사람 놀래켜 놓고.
엄마 이불을 덮어 주고 있는데 엄마가 웅얼거렸다.
그새 잠이 든 모양이다.

잠결인 것 같았다.

"독일피엠은 내 생명수인데..웅얼웅얼"

그 뒤의 내용은 잘 못 들었다.

나는 미소가 나왔다.

참 잘 버텼다. 10년.

독일피엠은 우리 가족의 생명수다.

우리 엄마는 눈물 많은 슈퍼우먼

나만의 슈퍼우먼 내사랑 우리엄마.

이젠 세상에 양보할 때가 온 것 같아요.

아픈 사람들만 보면 눈물을 흘리는 따뜻한

이금숙씨를 만나 많은 사람들이 치유받고 삶에

생기를 되찾길 바랍니다.

어떻게 사랑하는지 아는 사람.

사랑하는 사람을 관찰하고 그 사람에 대한 배려로
무장하는 사람.

아프고 힘든 사람들을 보면 안타까워서 어쩔 줄을
모르는 사람.

본인과 비슷하게 아프다 싶으면 뭐라도 말해주고픈
사람.

다른 사람의 일을 내 일처럼 마음 아파하는 사람.

저는 이 에너지가 우리 사회에 선한 영향력을
행사하리라 믿습니다.

우리 엄마와 인연이 되었다는 것만으로 좋은
신호입니다.

사랑의 힘을 느낄 수 있을 테니까요.

그럼 많은 것이 바뀝니다.

아니, 모든 것이 바뀝니다.

PART 4

독일피엠을

만나다

독일피엠은 어려운 놈

독일피엠을 내 일상에 받아들이는 것은 어려운
일입니다.
첫 번째로, 독일피엠을 우연히 만나게 되는 운이
필요합니다.
저희 집은 병원 약, 한방 약, 미국의 네트워크 식품
여러 종류, 침, 뜸, 마사지, 열 치료, 각종 운동,
반신욕 등 다른 일 다 제쳐두고 오로지 건강을
위해서만 몰입한 7년의 세월 이후에서야
독일피엠을 만날 수 있었습니다.

두 번째로, 독일피엠을 알아볼 수 있는 지식과
지혜를 갖춰야 합니다.
그래야 독일피엠이 나에게 왔을 때 꼭 잡고 놓지
않을 수 있거든요.
저는 자연을 좋아하는 사람이고, 통합적 전체적으로

상황을 바라보는 성향이 있습니다.

그래서 피부에 문제가 있으면 피부과에 가서 약을 먹고, 시술을 하고, 여성기관에 문제가 있으면 산부인과에 가서 약을 먹고, 장에 문제가 있으면 또 그 관련 병원에 가고.

이런 부분적인 접근이 의문이었고,

'사람 몸이 종이접기 하듯 자르고 붙이고 하는 게 아닐 텐데. 모든 것이 연결되어서 기능할 텐데 그 부분이 안 좋다고 그 부분을 위한 약을 쓰면 다른 부분은 어떻게 되는 건가?' 라는 생각을 어릴 때부터 했습니다.

그래서 자연에 대한 다큐멘터리, 인체에 대한 다큐멘터리, 자연 출산에 대한 이야기, 병원에서 나온 의사들의 이야기 등 상황을 전체적 유기체로 인식하는 관점에 대한 자료를 많이 찾아봤습니다.

어릴 때부터 쌓였던 이러한 인식이, 독일피엠을 접했을 때 의문과 거부감 없이 독일피엠을 적극적으로 받아들일 수 있게 했습니다.

세 번째로, 함께 갈 수 있는 사람이 필요합니다.
저는 엄마가 있어서 버틸 수 있었습니다.
엄마도 저를 보면서 견뎠답니다.
산에 올라가는 것이 좋다는 정보를 들었고, 그
정보에 대한 확신이 있습니다.
그렇다고 산에 올라가는 과정이 쉬우냐? 그건
아니죠.
한걸음 한걸음이 고통스럽습니다.
옆에 동행자가 있기에 밀어주고 당겨주면서 함께
나아갈 수 있는 겁니다.
새로운 증상이 나오면 이야기도 하고, 위로도
해주고, 서로가 좋아지고 있다는 확신과 함께 다음
걸음을 내딛을 힘이 생깁니다.

마비 증상이 다시 나타났을 때는 정말 겁이

났습니다.

하지만 이내 독일피엠을 먹고 있다는 사실을
떠올렸고, 엄마에게 제 증상을 설명하고, 엄마가
저를 안아주고, 우린 또 버텨낼 수 있다고, 계속
성장할 수 있다고 토닥이며 무사히 지나갔습니다.
이렇게 서로 의지하고 안아주며 정성껏 함께
가야하는 길입니다.

보이는 것과 안 보이는 것

영상자료가 책보다 쉽다.
4지선다형이 논술형보다 쉽다.
몸무게 확인이 몸 속 균형 확인보다 쉽다.

쉬운 걸 할 수 있는 사람이 어려운 것도 할 수
있다고 말할 수 없다.

어려운 걸 할 수 있는 사람은 쉬운 것도 할 수 있다.

영상자료에 익숙해진 사람은 책을 읽기 버거울 수 있다.
책을 좋아하는 사람은 영상자료도 쉽게 참고할 수 있다.
4지선다형 답을 고를 수 있는 사람이지만 자기생각을 논술하기는 버거울 수 있다.
자기생각을 쓸 수 있는 사람은 당연히 4지선다형 답을 고를 수 있다.
몸무게 수치가 정상범위라고 해서 몸이 건강하다고 말할 수 있는 것은 아니다.
몸의 균형이 잘 잡혀있고 피가 맑은 사람은 자연스럽게 정상 몸무게 범위 안에 해당이 된다.

보이는 건 쉽다.

눈이 있으면 볼 수 있기 때문이다.

안 보이는 건 어렵다.

보이지 않아서 상상해야 하기 때문이다.

생각하고 상상하고 느껴야한다.

우리는 어려운 것을 좋아하려고 노력해야 한다.

왜냐하면 독일피엠이 어려운 놈이기 때문이다.

우리는 어려운 놈과 친해지는 것을 목표로 했다.

우리 몸의 피를 맑게 해주는 과정에서 몸속에서

어떤 일이 일어나고 있는지 생중계해주지 않는다.

우리는 그것을 통증과 무기력증과 불면증 등 여러

증상들로 느낄 뿐이다.

그 감각들을 몸 속 치유과정과 연결시켜서 생각할

수 있는 능력이 필요하다.

안 보이는 것을 이어주는 이 연결고리 상상력이

깨지면 몸에서 새로운 증상이 있을 때마다 뭐가

뭔지 몰라 불안한 사람들은 독일피엠에 대한 믿음을

깨트리려 한다.

믿음이 옅어지면 피엠과 함께하는 것이 힘들어진다.

독일피엠과 함께하지 않으면 큰 손해이기 때문에 안

보이는 몸 속 과정을 치유과정으로 생각하는

연결고리끈을 잘 잡고 있는게 굉장히 중요하다.

믿어야 하는 이유

지금은 정보화시대이다.

티비에도 뉴스에도 여러 책들에도 여기저기

건강정보가 넘쳐난다.

문제는 그 목소리들이 서로 다른 이야기를 하고

있다는 점이다.

저탄고지 식단

원푸드 식단

간헐적 단식

단백질 강조 식단
이런저런 좋다는 건강식품
도대체 뭘 어떻게 내 일상에 들여와야 할지
모르겠다.

어느 것이라도 좋으니 한 가지를 지속적으로
해야한다.
믿고 가야하는 것이다.
뭔가 결과를 내기 위해서는 임계치를 채워야 한다.
공부도 그렇고, 다이어트도 그렇고, 일도 그렇고
뭐든지 그렇지 않은가.
이거 조금 하다 말고, 저거 조금 하다 말면 효과가
없다.
임계치가 차지 않기 때문이다.
좋은지 안 좋은지를 알기 위해서라도 임계치를
채워야 한다.

냉탕에 들어가면 세포가 위기상황에 대응하기 위해
열을 내기 때문에 몸이 오히려 따뜻해질 수 있다
해서 2개월 지속하다가
'내 몸은 외부의 한기를 뚫어낼 힘이
부족하구나.' 깨닫고 그만뒀다.
이미 몸이 훨씬 더 냉해진 다음이었다.
pt선생님께서 왜 아무리 운동을 해도 근육이 안
붙느냐며 장난으로 '쓰레기 근육'이라고 하신 적이
있다.
닭가슴살을 많이 먹어야 근육이 붙는다고
말씀하셔서 원래는 소화가 안 돼서 잘 먹지 못하는
고기를 1년간 매끼 챙겨먹었다.
장은 더 안 좋아졌고, 몸은 더 피곤해졌다.
근육이 만들어지지 않는 문제가 그게 아니었던
것이다.

온갖 것을 다 시도해보고 돌고 돌아 찾은 피엠이다.

이제는 아픈 곳이 없다.

뭘 믿어야 할지 모르는 여러분들에게 추천드린다.

피엠을 믿으시라고.

기본으로 돌아가라

음악은 소리

라켓운동은 스윙

운동은 스쿼트 데드리프트

미는 피부

건강은 혈액과 모세혈관

소리가 제대로 안 나는데 아티큘레이션과

프레이징이 무슨 의미가 있으며

기본 스윙이 안 되는데 스매시에 힘이 실릴 턱이

있겠으며

코어 근육이 제대로 안 잡혔는데 측면 어깨 근육이
무슨 의미가 있으며
피부가 안 좋은데 아이섀도우 색깔 배합이 무슨
의미가 있으며
혈액과 모세혈관이 깨끗하지 않은데 어떻게 건강을
말할 수 있을까요.

나아가거나 후퇴하거나

나아가거나 후퇴하거나 둘 중 하나다.
가만히 있는 건 없다.
가만히 있으면 후퇴한다.
현상유지를 하기 위해서는 나아가야 한다.
내가 가만히 있어도 환경이 나쁘기 때문에 그 환경
속의 나는 나빠진다.
내가 나쁜 환경만큼 딱 그 만큼만 좋은 행동을

하면 현상유지이고,

조금 더 노력하면 나아갈 수 있다.

세안용품, 샴푸, 린스, 바디워시, 드라이기, 머리

에센스, 향수, 화장품, 식사, 오염된 공기

하루하루 지날 때마다 우리 몸의 자동정화작용보다

강도 높은 오염된 환경을 마주한다.

아무 생각 없이 살면 후퇴하고 있는 거다.

나는 기왕 신경쓰는 거 조금 더 해서 나아가련다.

아파야 낫는다

활시위를 뒤로 당겨야 화살이 앞으로 나갑니다.

발을 뒤로 젖혀야 공을 뻥 찰 수 있습니다.

인간관계에서도 우리는 상처가 난 만큼 성장하는 것

같습니다.

몸도 마찬가지입니다.

중국 문헌에서는 중국 황제 고종이 이런 말을
했다고 쓰여있습니다.
'약을 먹을 때 눈이 멀 정도가 아니면 효험이
없다.'

아픔을 견뎌낸 만큼 성장한다면 아픔이 꽤 반갑게
느껴집니다.
그러면 우리는 맷집을 키우면 되는 거잖아요?
뭐 그 정도는 해볼 수 있을 것 같습니다.
'나를 죽이지 못하는 고통은 나를 강해지게
만든다.'
니체의 말입니다.
우리 함께 성장하고 강해집시다.

건강회오리 선배

친구가 물었다.

"그런데말야, 피곤한 게 뭐야? 졸린 건가?"

와우.

친구는 체한 것도 모르고, 메스꺼운 것도 모르고,
멀미도 모르고, 담 결린 것도 모르고, 쥐가 난
느낌도 모른다.

나는 매일 눈알이 뽑힐 것 같은 이 통증만
없어지면 소원이 없겠구만.

친구는 체력과 건강이 타고났다.

이 친구에게 하루 13시간 공부를 하느냐 못
하느냐는 의지만의 문제인 것이다.

너무 부럽다.

하지만 친구는 나름의 고민과 걱정으로 하루하루
힘겹게 살아내고 있었다.

나는 모든 사람들이 자기 나름의 고민과 걱정과

고통 속에서 살아가고 있다고 생각한다.

그래서 내 경우가 그리 특별하다고 생각하지
않는다.

내 인생이 특별한 이유는 내가 살아내는 내
인생이기 때문이지 다른 이유는 없다.

이 회오리를 극복하면 또 다른 회오리가 기다리고
있다는 걸 안다.

지금 건강회오리를 맞닥뜨린 사람들에게 이미
지나온 선배로서 길을 제안할 뿐이다.

나는 그 회오리를 극복했다고.

희망을 가져도 된다고 말할 뿐이다.

피엠이 길이 될 수 있음을 내 인생으로 경험했다.

그 경험의 결과를 공유해드릴 뿐이다.

내 역할은 여기까지라는 것을 알고, 여러분의
인생에 피엠을 받아들이는 것은 여러분 개개인의
인연임을 잘 알고 있다.

나는 또 다른 회오리를 마주하러 가야한다.

하지만 이제 자신이 있다.

몸이 건강한데 뭘 못하겠는가.

온실 속의 화초처럼 자란 나약한 나도 극복했다.

여러분들도 무조건 건강회오리를 극복하실 수 있다.

우리 모두 파이팅.

건강과 미

이제 아픈 곳이 없다.

몸이 많이 좋아져서 미적으로도 변화가 생겼다.

눈빛이 반짝인다.

머리카락이 검어지고, 굵어졌다.

입술이 붉어졌다.

피부가 부드러워졌다.

피부톤이 밝아지고 있다.

원래가 통나무인 줄 알았던 내 다리에 굴곡이

드러났다.

아플 때는 예쁘고 싶다는 마음이 사치인 줄 알았다.
하지만 내 생각이 잘못됐었다.
건강한 것과 아름다운 것은 같은 거다.

독일피엠은 내 친구

독일피엠은 존재감이 강합니다.
잊을만하면 몸 어딘가에 반응이 와서 자기가 여기
너와 함께 있노라고 말해줍니다.
항상 내가 독일피엠을 먹고 있다는 인식을 하면서
소중하게 하루하루 동행하는 겁니다.
독일피엠은 내 몸 안에 살고있는 친구 같습니다.
'내 몸 구석구석 잘 부탁해 독일피엠. 네가 고생이
많아. 고마워 항상.'

PART 5

독일피엠 섭취 후 증상들에 대한 기록

PART 5-1

독일피엠 섭취 후 증상들에 대한 기록 (엄마이야기)

유령혈관

몸은 우리가 인식하지 못할 정도로 서서히 무너져
가기 때문에 나빠지는 과정은 관찰하기가 쉽지
않다.
다 망가지고 나서야 잘못 살았음을 알게 된다.
그제야 '어찌하면 통증이 빨리 사라질까'만
생각하며 진통제를 처방받거나, 주사를 맞으며
고통스럽게 하루하루를 견디면서 희망이 없는
날들을 보내야만 한다.
우리 몸은 건강하게 살아도 60대가 되면
모세혈관의 40% 이상이 소멸된다고 한다.
하지만 현재를 사는 우리들은 건강하게 살 수가
없다.
온갖 스트레스와 나쁜 식습관, 수면 부족,
화학제품들과 살아가는 일상은 우리 몸을 상상을
초월할 만큼 빠른 시간 안에 망가트리고 있다.

이런 상황으로 혈들이 더러워지면 우리 몸 혈관의 99%를 차지하는 모세혈관이 막혀서 유령혈관으로 바뀌는 것이다.

그러면 만성피로와 만성통증이 생겨나면서 각종 기관들의 기능이 서서히 무너져가는 것이다.

이러한 만성피로와 만성통증이 느껴진다는 것은 몸이 많이 힘들어져서 '살려주세요'라고 외치는 것과 같다.

내 몸은 내가 지킨다

더 많은 고통을 느끼기 전에 우린 우리 자신의 몸을 미리 지켜야 한다는 것을 말씀드리고 싶다. 왜냐하면 독일피엠을 섭취하고 해독반응을 다 경험하고 나니, 낫는 과정은, 서서히 무너지면서 알았던 고통보다도 훨씬 더 고통스럽고 힘이 든다는 것을 뼈저리게 느꼈기 때문이다.

주변에 나보다 건강하신 분들이 섭취하시는 것을
보면 해독반응을 별 무리 없이 견딜 만큼 편안하게
몸이 회복되는 것을 종종 보게 된다.

처음엔 나한테는 해독반응이 너무도 강하고 힘들게
다가오니 '왜 나만 이렇게 힘이 든 건가'라고 많이
투덜대기도 했다.

하지만 그러면서 조금씩 몸이 변하는 것을
알아차리고 나서부터는 내가 내 몸을 귀하게 여기지
않고 함부로 아무거나 먹고, 잠도 제대로 안 자고,
마음의 여유도 없이 스트레스를 몸에 듬뿍 퍼
부우며 잘못 살아온 대가를 몸이 회복하는 동안
치른다고 생각하기로 했다.

저의 경험이 위로가 됐으면 좋겠습니다

그런 시간들이 3년이 흐르니 내가 살아나고 있음을
느끼며, 지금보다 더 건강해질 수 있다는 자신감도
찾을 수 있었다.
부디 여러분도 더 고통스러워지기 전에 내 몸을
돌아볼 수 있는 현명함을 가지시기를 바란다.
여러분이 독일피엠을 섭취하면서 힘이 들 때
손잡아주고 위로해주는 사람이 필요하실 때가
분명히 있을 것이다.
제가 아는 모든 해독반응이 여러분들을 위로해드릴
수 있지 않을까 하는 생각으로 이 글을 쓴다.

2020년 11월 22일. 독일피엠을 섭취하기
시작했다.

2020년 11월 23일
몸이 천근만근으로 무겁고 계속 가스가 나오는
것이 아닌가.
난 평소에는 1년에 10번도 가스가 나오지 않아
내가 한번 가스를 방출하면 우리 아이들이
신기해할 정도였다.
신기한 경험을 빠른시간 내에 한 것이다.

2020년 11월 27일
정말 오랜만에 숙면을 취했다.
너무 행복했다.
며칠 사이의 반응이 독일피엠을 살짝 인정하게 된
계기가 되었다.

2020년 12월 01일

일이 있어 4시간 30분 정도 거리의 시골에 다녀
왔는데 평소와 컨디션 비슷하다.
이런 일은 나에겐 있을 수가 없는 일이다.
항상 너무 힘이 드니 1년에 한 번 정도 엄마를
보러 가는 딸이었다.
엄마를 보고 오는 일은 행복한 일이지만 다녀오면
일주일이건 이주일이건 누워있는 일이 다반사였기
때문이다.

2020년 12월 02일

이런 반응들에 기분이 너무 좋아서 양을 더 많이
섭취하기 시작했다.

2020년 12월 03일

만성변비에 시달리던 나의 대장이 부글부글
반응하기 시작했다.

2020년 12월 04일

평소에 눈 알러지가 수시로 있었는데 새벽에
갑자기 눈이 간지럽고, 오른쪽 머리 통증이
잠깐씩 있으며, 설사를 약하게 2번 했다.
그동안 힘들게 했던 증상들이 미세하게 올라오기
시작했다.
해독할 때 이런 증상이 온다고 하던데 진짜 내
몸에서 반응을 하는 게 너무 신기했다.
어느 식품도 나에게 이런 반응을 준 적이 없었기
때문이다.

2020년 12월 05일

피곤할 때마다 왼쪽 광대가 이유도 모른 채
아팠는데 광대에 통증이 오기 시작하고 갑자기
어깨통증도 심하게 오고, 또 약한 설사를 2번
정도 했다.
며칠 사이에도 불면증으로 힘들었다.

평소에는 잠을 못 자면 생활을 못 할 정도로
힘들었는데 생각보다 참을만한 날들을 보내고
있었다.

2020년 12월 10일
잠을 푹 잤다.
너무 행복했다.
그런데 잇몸 곳곳이 헤지고 염증으로 힘들었다.
매일 통증으로 힘들던 복부터 등 전체의 통증은
조금 유연해지는 느낌이다.

2020년 12월 12일
잇몸 곳곳에 통증과 심한 염증으로 몹시
당황스러울 정도다.
모든 잇몸이 붓고 모든 이(앞니포함)가 빠질 것
같은 통증과 시린 증상이 3주동안 지속되었다.
와우.. 이런 고통은 처음이다.

잠도 못 잘 정도로 심했다.

2020년 12월 13일

입속 다른 부위 염증이 더 늘어나면서 체한
느낌과 함께 머리와 어깨가 더 아프기 시작했다.
평소의 아픔이 더욱더 부각되었다.

2020년 12월 16일

얼굴 홍조와 함께 어깨가 빠져나갈 것 같은
통증이 있었다.

2020년 12월 17일

평소에 힘들게 했던 입 주위 두드러기, 입술
찢어짐이 올라왔고 불면증은 여전히 계속
이어졌다.

2020년 12월 18일
아팠던 왼쪽 광대가 쓰라렸다.

2020년 12월 19일
새벽엔 왼쪽 뒷머리 통증으로 무서웠고 왼쪽
목덜미가 더욱 굳었다.
가스도 계속 나왔다.

2020년 12월 20일
너무너무 피곤해서 일어날 수가 없었으며, 좀
유연해지던 등이 다시 예전처럼 통증이 심해졌다.

2020년 12월 21일
여전히 불면증에 시달리고 있었으며, 왼쪽
복숭아뼈 아래 발바닥 주변이 평소에 찢어질 듯이
아프다가 요즘은 안 아파서 신경이 쓰이지도 않던
곳인데 전기충격기를 대는 것 같은 엄청난 충격이

왔다.

그것도 세 번이나.

그러다가 시간 간격을 두고 좀 약한 전기충격이
여러 번 오면서 잘 때까지 괴롭혔다.

그런데 전기충격통증보다 더 놀란 건 발을
만져보니 감각이 없었다.

아...이걸 고치는 중이구나.

그때의 충격은 말로 표현할 수 없다.

그때부터 독일피엠에 대한 신뢰가 더욱 두터워진
것 같다.

2020년 12월 22일

지금까지 잇몸 통증으로 고생 중인데 오른쪽
윗잇몸이 만질 수도 없을 만큼 통증이 심해서
확인하니 손톱만 한 염증이 생겨있었다.

1주일 넘게 고생한 것 같다.

그런데 그때까지만 해도 내 몸이 너무 아프니까

'정체된 염증을 빼내는구나'라는 생각보다 '통증이 심하고 힘들다'라고만 생각했던 것 같다.

2020년 12월 23일

일어날 때 피곤하고 머리가 아프다.
간이 위치한 갈비뼈 쪽에 담이 들어 통증이 왔다.
복숭아뼈 아래 발바닥 바깥쪽에 통증이 너무
잦아졌고, 불면증은 여전했다.

2020년 12월 24일

독일피엠을 섭취한 지 한 달 하고도 이틀이
지났다.
일어날 때 평소보다 피곤하고, 발 통증은
1/3강도로 약해졌다.
진짜 중요한 건 머리와 눈에 비닐을 몇 겹
씌운듯한 막이 있었는데 그 느낌이 사라졌다.
살 것 같다.

피곤한데도 머리에 막이 없어진 건 정말 나에게
있어서는 신기한 일이다.
이를 계기로 독일피엠에 100%의 신뢰가 생긴 것
같다.

2020년 12월 25일

30대 초반에 오른쪽 약지 발가락을 문지방에 엄청
세게 부딪혔다.
그 후 몇 달 지나서 발가락이 아파서 걷는 게
계속 힘들고 불편했었다.
엄청 아플 때도 있고 좀 괜찮아질 때도 있었지만
걸을 때마다 신경 쓰이는 부분이었다.
최근에는 통증이 없어져서 아팠는지 몰랐었다.
그런데 그 약지 발가락에 욱신거리는 통증이 오는
것이 아닌가.
이럴수가... 귀신 같이 아팠던 부분을
찾아내는구나.

신기했다.

배에서는 아기 움직이는 듯한 느낌의 움직임이
느껴지며, 팔에 큰 피멍이 들어있었다.

2020년 12월 26일

변비는 조금씩 나아지는 듯한 느낌이 들었고,
등은 예전과 비슷하게 막히고 통증이 왔다.

2020년 12월 30일

여전한 발 통증과 며칠 전부터 소화가 안 돼서
계속 꺼억꺼억 댈 정도로 힘들었다.
갑자기 배가 뒤틀려서 폭풍 설사를 하고 머리가
잠깐씩 욱신거린다.

2020년 12월 31일

여전히 일어나기 힘들 정도로 피곤하고 어깨와
목이 예전처럼 굳은 상태다.

2021년 01월

1월 초에는 숙면까지는 아니지만 예전보다는 잠을 좀 자는 것 같다.

위에서 언급한 일반적인 반응들은 계속 있다 없다를 반복하며 힘들게 했고, 아이들 키울 때부터 불편했던 왼쪽 다리가 미세하게 저리고, 왼쪽 허리, 무릎, 종아리에 통증이 왔다.

왼쪽에 집중된 통증이다.

다음날 새벽에는 왼쪽 허벅지 뒤쪽에도 통증이 오고, 종아리가 빵빵하게 부은 느낌과 함께 계속 미세하게 마비되는 느낌이 왔다.

1월 말엔 혈 곳곳이 멍이 든 것처럼 아프다가 몇 시간 지나면 바로 통증이 사라지기를 반복하였다.

2021년 02월

자주 뒤집히고 따가워서 화장하기도 힘들었던 입

주위 피부가 4번 정도 뒤집히더니 피부가
좋아지는 느낌이 난다.

'나이가 들면 다리나 몸에 각질이
많아지는구나'라고 생각할 정도로 다리 쪽 각질이
너무 심했는데 어느 순간 각질이 사라지고 다리가
깨끗해짐을 느꼈다.

머리 여러 부분엔 저린 증상과 콕콕 찌르는 증상,
멍든 통증 같은 증상이 반복적으로 나타났다.
새벽녘에는 뒤통수 왼쪽 부분과 오른쪽 부분이
번갈아 가면서 반복적으로 절절거리는 증상과 등,
팔, 다리, 머리 등 모든 부위에서 번갈아
화닥거리는 증상, 저린 증상, 통증 등이 번갈아
나타났다.

사람들은 아마도 이 정도로 반응이 오면 병원을
많이도 들락날락하지 않을까 싶다.

대장이 계속 뒤집히고 변비, 설사 반복하다가
정상 변을 보기도 했다. 세상에나!

오랜 시간 속이 더부룩하고 계속 트림이 나오기도
하고, 입도 계속 말라서 힘들었다.
대학 다닐 때부터 손에 습진 증세가 있어서
힘들었는데 최근에는 없어졌는지 기억에도 없던
습진 증상이 나타났다가 3일 만에 사라졌다.
진짜 예전에 문제가 있었던 증상은 모두 모두
뒤집는 듯했다.

독일피엠 섭취 초반에는 몸의 변화가 신기하게
느껴져서 자주 기록했는데 시간이 지나면서 크고
작은 반응이 너무 많이 나와서 매일매일
기록하기는 힘들었다.
머리, 목, 어깨, 팔, 등은 계속 통증이 계속되니
여전히 힘든 상태다.
앞의 변화들을 보니 기대가 되긴 하지만 여전히
통증이 있고 잠깐씩 통증이 유연해지기도 해서
기대감이 크다.

2021년 03월

머리에서 크게 느껴지는 저린 증상을 1시간 이상 지속했다.

아마도 다른 분이었더라면 응급실에 가지 않았을까 싶다.

나는 머리가 너무 아픈 상태였어서 '이 정도는 아파야 낫지 않을까' 하는 생각을 하는데도 너무 긴 시간 심하게 저린 증상이 계속되니 공포감이 느껴시기노 했다.

시간이 흐르니 강도가 낮아지면서 서서히 없어졌다.

'쓰러지거나 죽을 수도 있겠다' 싶었는데 머리가 좀 편해지는 느낌이 들었다.

이때부터는 머리든 어디든 통증이 와도 공포감이 느껴지지 않을 정도로 믿음이 생겼다.

이 무렵 아주 크게 느껴지는 화닥거리는 증상이 몸 이곳저곳을 돌아다니면서 나타났다.

그때는 무슨 증상인지 몰라서 많이 걱정하고
당황했었다.

발 통증도 수시로 반복되면서, 아픔의 종류도
전기통증, 바늘로 찌르는 듯한 통증, 멍든 것 같은
통증 등 여러 통증들이 번갈아 왔다.

발가락 통증도 수시로 반복적으로 오며, 걸을
때도 아픈 통증이 느껴졌다.

예전에 있던 증세처럼 절뚝거릴 정도였다.

메스꺼운 증상이 너무 심해서 구토를 하기도 하고
계속 소화가 안 되고, 트림이 나고, 더부룩한
증상이 수시로 나타났다.

나를 평생 고생하게 만든 계기가 된 부위라서
이제는 통증이나 반응이 당연하게 느껴졌다.

이런 반응들이 있다고 얘기는 들었지만 직접
체험을 하니 공포감이 느껴 지지만 나처럼 심하게
반응하는 분들이 주변에는 없어서 물어볼 수가
없었다.

독일피엠을 믿는다고 해도 2~3달 만에 나타나는
반응이 너무 크니 책, 블로그, 유튜브 등 모든
자료에서 해독반응, 세포가 재생되는 반응을
찾아보고 공부할 수밖에 없었다.
그래야 마음이 놓이고, 위로가 되었다.

2021년 04월

벌써 섭취한 지 4개월이 지났다.
많은 반응이 있었고 좋아지는 게 보이니 기대감이
크다.
그 무렵 잠자리에서 발바닥 화닥거림이
계속되면서 통증 증세처럼 오고, 입이 계속
마르다가 괜찮아지는 증상이 반복적으로 나타났다.
등은 폼롤러나 공으로 풀지 않으면 잠을 못 잘
정도로 힘들었지만, 어깨 아래쪽으로는 좀 편해진
느낌이 든다.
경추 디스크로 인한 목, 어깨, 팔등의 통증은 강한

통증과 완화된 통증이 반복적으로 나타나면서
미세하게 좋아지고 있음을 수시로 느끼게 해준다.
나을 수도 있겠다는 나의 기대감은 이루 말할
수가 없다.
지속적인 통증으로 시달리고 있는 분은 이런
마음이 어떤 건지 이해할 거라 생각한다.
손에서 2월에 나타났던 습진 증세보다 더 가벼운
습진 증상이 나오더니 3일만에 또 사라졌고, 걸을
때 계속 아프던 발가락 통증이 있다 없다를
반복하더니 사라졌다.
수시로 온몸에 부분부분 저린 증상이 없어지지
않고 계속 이동하면서 나타났다.
이런 반응이 왜 나타나는지 수시로 찾아보고
공부했던 것 같다.

2021년 05월
2월부터 5월까지 수시로 입술이 찢어지고 마르는

증세가 반복되었다.

그런데 독일피엠 섭취 전에는 찬바람 불 때만 입술이 찢어졌는데 5월까지 이런 증세가 있는 건 처음이라 좀 이상했지만 이 또한 좋아지겠지 하며 지나갔다.

발등, 손등, 무릎, 팔, 다리 등등 부분부분 통증이 나타났다 사라졌다를 시도 때도 없이 반복한다.

이제는 무섭지도 않다.

두피 각질은 2번 정도 살짝씩 벗겨지는 느낌이 났고, 머리도 수시로 한 웅큼 씩 빠지기 일쑤였다.

4월 말 즈음부터 20일 넘는 시간 동안 목, 어깨, 등을 비롯해 머리부터 발끝, 심장 부분까지 엄청난 화닥거림과 저린 증상, 욱신거리는 통증과 심장의 두근거림, 호흡이 안 되는 증상이 반복되면서 기운이 빠지는 증상도 계속 반복되었다.

너무 긴 시간 반복되어 힘이 들었다.

이 시간을 견딘 나 자신이 대견할 정도로 긴 시간
동안의 통증이었다.

23일 정도 고된 힘든 시간이 지나고 경추로 인해
힘들었던 목과 어깨, 팔의 통증이 1/4 정도로
완화되었다.

너무 기뻐서 남편한테 "자기야, 나 살아난 것
같아"라며 울먹였던 것 같다.

그 후로도 저린 증상은 1주일 정도 계속되었다.

이 정도는 뭐 애교로 봐준다.

이젠 아무것도 무섭지 않다.

평소 아플 때는 절망만으로 견디고 버티며 지낸
시간이었지만 이제는 좋아질 수 있다는 자신감이
나를 한껏 더 강한 사람으로 만든 것 같다.

오래전에 오른쪽 새끼 발가락 옆쪽으로 무좀이
한번 나타난 적이 있었다.

그게 올라오고 난 후 3주 정도를 힘들게 하더니
사라졌다.

밤에 눕기만 하면 목이 갈라지는 듯 말라서 계속
기침하는 증세가 있었는데, 점점 심해지던 그
증세가, 독일피엠 섭취 후에 며칠 나타나더니
사라졌다.

2021년 06월

6월 초엔 목과 등 통증의 80% 정도가 줄어들고
힘이 좀 생겼다.
남편이 운전하는 차에 보조석에만 앉아서
이동해도 힘들었던 내가 직접 운전해서 시골에
다녀오고, 밭일도 4시간 가까이 했는데 탈진
증세가 없고 하루 정도의 시간으로 힘든 증세가
완화되어 체력이 좀 좋아진 느낌이다.
워낙 체력이 안 좋았던 상태여서 현재도
남들보다는 체력이 좋은 상태는 아닌 걸 안다.
하지만 더 좋아질 수 있다는 희망이 생기면서
자신감이 점점 생겨나고 있었다.

현재도 등과 목, 어깨, 팔등의 부분 통증이 계속 나타났다 사라지기를 반복하고, 한 번씩 호흡이 안 되어서 답답한 문제도 발생하곤 한다.

발바닥의 화닥거림은 사라지고 발꿈치도 부드러워졌으며, 감각이 없던 복숭아뼈 아래 발바닥 옆쪽 감각이 살아나 있었다.

어찌 의심하랴.

6월 초까지도 앞 잇몸에서 피가 나다가 멈추기를 반복한다.

오랫동안 괴롭히던 불면증은 사라진 상태이다. 독일피엠 섭취 후에도 4개월 가까이 불면증이 있다 없기를 반복하면서 힘들었지만 점점 숙면을 취하는 시간이 많아지면서 6월 초부터는 거의 숙면을 취하면서 자고 있는 나를 발견했다.

아프거나 나빠지는 증상은 바로 알아차리지만 좋아지는 증세는 자세히 들여다봐야 살펴지는 것 같다.

그러니 건강한 사람은 나쁜 증세보다는 서서히
조금씩 좋아지는 증세만 나타나니 반응을
인식하지 못하는 사람들이 많은 것 같다.
장은 평소보다 많이 좋아짐을 느끼며, 지금도
간혹 변비와 설사증세를 반복하기도 한다.

2021년 09월

3개월 정도 통증이 거의 없어서 행복한 시간을
보내다가 갑자기 9월 초부터 다시 몸이 엄청난
반응으로 인해 완전 무너져 버렸다.
거의 한 달 정도는 부분부분 찌릿찌릿하면서
힘들고 또 탈진 증세가 나타나기 시작했다.
한 달 이후부터는 몸 전체가 찌릿거리는 증세가
보름 정도 진행되었다.
이건 또 다른 증상이라서 여러 사람들에게
물어봐도 모르는 증상이었다.
여기저기 검색하고 찾기를 여러 날.. 한 의사분이

써놓은 글을 읽게 되었다.

몸이 미세전기가 오는 것처럼 찌릿거리는 증상은
말초신경이 죽어가는 과정이라는 것이다.

'앗싸..그럼 나는 독소를 빼는 중이니 세포가
좋아지는 반응으로 나타난 것이면 말초신경이
살아나는 중이구나.'

그동안 몸이 붓고, 저리고 마비 증상이 오는 것은
혈이 잘 돌아서 독소를 빼고 있는 중이라는 글을
많이 봐와서 혈이 이제 잘 돌겠구나 라는
기대감은 있었지만 '말초신경까지 살아나고
있구나'라고 생각하니 내가 진짜 살아나고 있음을
느꼈다.

2021년 12월

만1년을 섭취한 시기이다.

계속 등 통증과 탈진하는 증상들이 통증을
줄여가면서 반복하다가 어느 순간 좀 더 편해지고

있음을 느낀다.

점점 통증이 줄어들고 있다.

2022년 01월

2022년 1월 31일에, 피엠 섭취 후 1년 2개월
동안 기다렸던 증상이 왔다.

궤양을 겪었던 분들의 반응 중에 어그러진 세포를
회복할 때 엄청난 통증이 있다고 들었는데 보통
6개월 섭취 후부터 온다고 했다.

'나는 어렸을 때 겪었던 증상이라서 좀 늦게
오는가보다.' 하고 기다렸던 증상이다.

어김없이 오는구나.

나의 평생을 괴롭힌 주범이다.

어릴 때나 고등학교 때는 아픔을 참을 수가
없어서 죽는 꿈을 많이 꿀 정도로 힘들었지만,
좋아지는 과정이라는 걸 안 지금은 통증을 대하는
마음이 완전히 달라져 있었다.

너무너무 고통스러웠지만 몸이 낫고 있다는
희망이 크게 자리하니 같은 고통인데 훨씬
수월했다.

하지만 새벽 2시 즈음부터 6시 정도까지 데굴데굴
구를 정도의 통증이 하루도 빠짐없이 한 달 반
정도 지속되는 건 정말 힘들었다.

위염과 위궤양, 십이지장궤양으로 20년이 넘는
세월을 약으로 견뎌왔으니 당연히 많이 힘들어야
낫겠지 생각하면서 하루하루를 보냈다.

2022년 02월

새벽에 복통이 오던 시기에 맞물려 이번엔 머리로
반응이 너무 크게 왔다.

그동안 머리 통증은 통증도 아니었다.

5일 정도 순간순간 쥐어짜듯 너무 고통스럽더니
2월 5일에는 너무 심해지기 시작하면서 머리가
깨질 것처럼 아프기 시작했다.

한약 먹은 후부터 머리가 압착기로 찍어누르는
듯한 통증으로 터질 수도 있겠다는 생각을 하고
살았었는데 등 통증이 오면서부터 머리 통증이
조금 가라앉았었다.
그런데 그 통증이 다시 나타난 것이다.
감히 말하건데 보통사람들은 절대 이런 통증을
감당할 수 없을 것 같다.
통증을 겪어오던 사람이 아니면 응급실에 몇 번
실려 갔을 듯... 많이 무서웠다.
머리 통증과 복통이 순식간에 크게 몰아치니
어지럼증과 메스꺼움도 같이 오면서 몸을 가눌 수
없을 정도로 어깨와 온몸이 눌리면서 정신을 차릴
수가 없었다.
하지만 그동안의 나의 반응을 관찰했을 때
좋아지는 반응임을 확신할 수 있었다.
남편도 이제는 무섭지 않은지 예전 같으면
응급실로 싣고 갔을 텐데 방에 눕혀놓고 나가는

것이다.

2시간을 잔 것 같다.

몸이 일으켜졌다.

조금 전 반응의 일부 여운을 남기고 통증이
사라졌다.

남은 여운의 반응은 5일 정도 지속되더니
사라졌다.

몸이 아주 개운하다.

몸의 이런 반응은 어떤 원리인지 아직도 잘
모르겠고 궁금하다.

2월 말 즈음, 1월 말부터 오던 복통이 30일째
진행 중이고 계속 힘든 시기였다.

그런데 2월 5일에 겪은 복통을 포함한 전신
통증이 또 한 번 왔다.

와....이런 통증이.... 전신을 두드렸다.

진짜 병원에 실려 갈 수도 있다는 생각이 계속 든

하루였다.

그러다가 다음날 또 통증 강도가 줄어들고 며칠이
지나니 가라앉았다.

몸이 점점 바뀌는 듯하다.

이런 반응들과 상황들이 힘들긴 하지만 이젠
무서울 게 없다.

시간이 지날수록 고통이 가벼워지는 걸 체험하는
건 아무나 할 수 있는 일은 아닌 것 같다.

나를 강하게도 해주었지만 독일피엠을 같이
섭취하면서 나처럼 이렇게 큰 반응을 겪는 사람을
본 적이 없어서'내가 몸 관리를 진짜 잘 못
했구나.' 생각이 들면서도 억울하기도 했다.

2022년 03월

헐..진짜 헐이다.

이제 복통이 1도 없이 사라졌다.

헛배 부르거나 더부룩하고 트림 나오는 증세도 싹

사라졌다.

45일간의 통증이 말끔히 사라졌다.

나에게도 이런 날이 왔다.

통증의 끝이 있었다.

이 모든 반응들이 나는 이제 너무 신기하게만
느껴진다.

남들은 어찌 그리 참아지냐고 하는 분들도
계시지만 희망이 있는 고통은 참을만하다.

기꺼이.

2022년 04월

나에게 과거 큰 통증이었던 복통은 사라지고,
진행 중이던 목, 어깨, 팔, 등 전체의 통증은 통증
간격은 넓어지고 강도는 줄어들면서 반복하고
있었다.

등은 통증이 미세하게 남아있었고, 어깨와 목
통증은 아직 불편하다.

통증이 조금씩 사라지면서부터 목이나 어깨, 팔, 등 전체가 화닥거리면서 열이 나고 절절거리는 증상이 자주 생겼다 없어졌다 를 반복하던 어느 날 등이 유난히 뜨거워져서 힘이 들다가 갑자기 열기가 뒷목을 타고 올라가서 머리까지 오르더니 얼굴에서 땀이 나는 것이다.

아....이런 일도 일어나는구나.

미치도록 좋았다.

평생 땀을 흘려본 적이 없던 내가, 가만히 있는데 이마에 땀이 맺히는 것이다.

가스도 땀도 배출을 전혀 하지 못하고 살았던 내가 가스도 땀도 뿜어낼 수 있는 사람이 된 것이다.

진짜진짜 자신감 충천이다.

이제는 통증으로 죽고 싶다는 생각보다 빨리 더 노력해서 건강하게 살아야지 라는 희망의 싹이 계속 크게 자라고 있었다.

과거엔, 관절들이 번갈아가면서 통증에 시달려서
병원에 가도, 의사들도 원인을 몰라서 무슨
병인지도 몰랐었다.

그런데 몇 년 전부터, 요산 수치가 높아서 통증이
있었던 거였다는 걸 알게 되었다.

독일피엠 섭취하고 몇 달 정도 지나서 왼쪽
무릎에 번개가 뚫고 지나가는 것 같은 증상이 2분
정도 사이에 3번이 나타났었다.

마트에 갔다가 놀라서 주저앉았는데 아무렇지도
않게 일어난 적이 있었다.

정말 뭐라고 표현할 수가 없는 반응이었다.

그리고 나서는 한 번도 무릎에 통증이 없었는데
이번엔 왼쪽 무릎 통증이 살짝 오더니 3주 동안
통증이 유지되었다.

왼쪽 무릎 통증이 사라지니 오른쪽 무릎 통증이
살짝 왔다.

오른쪽 무릎 통증은 이틀 만에 사라졌다.

이 정도의 통증쯤은 애교다.

통증들이 계속 줄어들며 희미해진다.

요산 수치가 높아서 나에게 있어 관절 통증이란 과거에는 견딜 수 없는 통증이었다.

통증이 시작되면 3~4일 동안은 아무것도 못 할 정도로 염증 정도가 심했었기 때문이다.

그런데 이게 무슨 일인지 통증인 듯 아닌 듯 사라졌다.

2022년 05월

한약 섭취 후 눈이 잘 안 보이고 통증이 심해서 힘들었는데 그동안 기록은 안 했지만 독일피엠 섭취 후에도 백내장처럼 막이 낀 것 같은 증상, 시도 때도 없이 충혈되는 증상, 알러지 증상까지 계속 반복해서 반응이 생겨서 힘들었다.

이 또한 좋아지는 반응인 걸 알았지만 눈은 빨리 좋아지는 게 느껴지지 않아 신경 쓰이던 시기였다.

그러던 중 완전 큰 폭풍이 몰려왔다.

다른 부위 통증이 좀 좋아져서인지 이번에는 눈 차례인가보다.

5월 초부터 극심한 눈 통증이 시작되었다.

몇 십개의 바늘이 사정없이 하루종일 찔러대는 듯 괴로웠다.

2022년 06월

6월 중순까지 극심한 눈 통증이 지속되더니 서서히 가라앉았다.

한고비 넘을 때마다 안 힘든 시간이 없다.

시력이 좋아진 건 아니지만, 통증은 사라졌다.

다음엔 무슨 통증이 기다리고 있을지 이젠 좀 궁금하기도 하다.

극심한 눈 통증이 사라지니 시간 간격을 두고 낮은 단계의 통증이 나타났다 사라졌다를 반복한다.

독일피엠 섭취 1년 7개월이 지나니 큰 통증들은 사라졌고, '잔잔하게 남은 통증들을 빨리 없애려면 어떻게 해야할까' 고민했다.

힘이 좀 생겼으니 헬스장에 가서 근력운동을 하는 게 좋겠다는 판단에서 개인 레슨을 받으며 운동을 시작했다.

운동을 시작하고 며칠이 지나니 아팠던 등 전체에 주얼기를 댄 것처럼 뜨끈뜨근 열기가 느껴진다.

이번에는 예전보다 더 뜨거웠다.

'아... 내 근육에도 혈이 잘 도는구나' 느낄 정도로 뜨겁다.

이제 조금만 더 혈이 잘 돌면 살도 빠질 것 같은 생각이 들 정도로 마음이 안정되었다.

2022년 07월

운동을 시작하고 한 달 즈음, 몸이 부으면서 살이

찌고, 너무 힘이 들어 정신이 없었다.

이해할 수 없었다.

독일피엠 섭취 후부터 조금씩 살이 빠지면서
반응하고 있어서 행복했는데 다시 살이 찌다니...
궁금한 건 못 참는 나는 또 검색을 시작했다.
그때 마침 아침방송에 의사분이 나오셔서 혈 속에
독소가 많아 혈을 통해 독소가 머리로 가면
위험한 상황이 오기 때문에 몸 스스로 독소를
중화시키기 위한 노력으로 온몸의 수분을
끌어당긴다는 말을 들었다.

그러면서 몸이 붓는다고 했다.

그러면 나는 운동을 열심히 잘한 것이다.

혈 속으로 독소를 많이 배출했구나 싶었다.

나쁜 음식을 먹으면 몸이 붓는 이유도
마찬가지라고 했다.

그런데 난 내 몸에 나쁜 행동을 한 적이 없으니
독소가 배출되는 과정에서 생겨난 증상이구나

라는 걸 알게 되었다.

강하게 오던 통증들은 가라앉아서 예전보다는 훨씬 몸 컨디션이 좋은 상태이지만 남들하고 비교하기엔 아직 많이 못 미친다는 건 알고 있었다.

그래서 그런지 운동할 때마다 계속 붓더니 2달 이상 부어있었다.

몸의 원리를 모르고 운동했으면 몸이 붓는 게 억울해서 벌써 운동을 포기했을 것이다.

운동할 때마다 붓는 게 내 몸이 열심히 일하고 있다는 증거라는 걸 이제 안다.

이제 몸이 조금씩 균형을 찾아가는지 나쁜 음식을 폭식하는 일이 점점 줄어들었다.

독일피엠 섭취 전에는 몸이 안 좋을 때마다 더 나쁜 음식을 찾곤 했고 섭취 후에도 1년 반 정도는 여전히 그런 행동을 하고 있었다.

의지만으로는 잘 되지 않는 게 있는 것 같다.

더 빨리 좋아질 수 있다는 생각에 운동을 시작했고 그 무렵 식단도 조절하는 능력이 생겼다는 걸 느꼈다.

그러면서 드디어 운동할 때마다 땀이 나기 시작했다.

한번 땀을 흘리기 시작하니 여름이라서 그런지 흘러내리는 땀을 닦아내면서 운동하는 날도 잦아졌다.

드디어 '나도 남들처럼 몸이 순환이 되고 있구나' 생각했다.

진짜 몸이 바뀌고 있었다.

딸도 나처럼 땀을 흘리고 있는 모습이 보여 서로를 격려하면서 파이팅했다.

딸과 함께 운동할 때마다 너무 행복했던 것 같다.

독일피엠과 좋은 식단을 섭취한 시간이 쌓이며 시너지가 생겨 부기도 빠지고 살도 조금씩 빠지기 시작했다.

너무 행복해서 더 열심히 하루하루를 살았던 것
같다.

2022년 09월

몸에 생각하지도 못한 큰 반응이 또 찾아왔다.

독일피엠 섭취 후 그동안 조금씩 느꼈던 심장
두근거림과 호흡이 안 되는 증상, 등이 뜨거운
증상, 그러면서 발진하는 증상들이 너무 심하게
반복되었다.

하루종일 이런 증상이 있는 날이 4일 연속 지속이
되니 너무 힘이 들고 일어날 수가 없었다.

그러더니 무슨 일이 있었냐는 듯 아무렇지
않았다.

그 이후로는 증세가 한나절 정도로 줄어들면서
반응하는 날도 있고 한 두 번 정도 힘들다가
나아지는 경우도 있었다.

이런 증상들의 간격이 점점 벌어지고 강도가
낮아지면서 1년 정도 지속되었다.

또 검색을 시작했다.

어느 의사분이 심장 모세혈관이 막혀서 기능을 못
하면 근육에 힘이 없어서 나 같은 증상이
생긴다는 걸 밝혀냈다고 설명하는 걸 듣게
되었다.

모두가 모세혈관 짓이구나.

난 온몸의 모세혈관이 다 막혀있었구나.

'이런 증상이 나타나는 것은 등 통증이 나은 것과
같은 원리겠구나'라는 걸 알게 되었다.

2022년 11월

운동을 시작하면서 근육 무게와 부은 몸무게가
합쳐져 5kg 쪘다가, 운동과 좋은 식단을 병행하니
11월 중순쯤에는 운동하면서 쪘던 5kg도 빠지고
2kg 정도 더 빠졌다.

남들보다는 느리지만 나한테는 아주 효과적으로
반응한 셈이다.

2022년 12월

이제 독일피엠 섭취 만2년이 지난 12월 즈음,
10일 정도를 통증으로 잠을 못 이룰 정도로 잇몸
전체가 다 부었다.
앞니까지 빠질 듯이 아프고 욱신거렸다.
잇몸의 욱신거리는 통증은 다른 염증의 통증
하고는 비교할 수가 없는 통증이었다.
통증이 진행되면서 고름이 차오르고 있었다.
고름이 너무 많이 차서 짜야 할 정도로 힘들었다.
'내 잇몸에서 자주자주 힘들게 했던 통증들이 이
염증들 때문이었구나'라는 생각이 들었다.
큰 통증이 사라지니 반복적으로 잇몸 전체가
들썩거리면서 통증이 나타나기를 반복한다.
잇몸 통증이 제일 힘들었던 것 같다.

이 또한 염증 정도나 통증 강도가 조금씩
줄어들면서 반응하고 있다.

독일피엠 섭취와 좋은 식단, 운동을 병행하니
남들보다는 완전 천천히 바뀌지만 그래도
변화하는 것이 보였다.

3개월에 1kg 정도는 줄어드는 것이 보였다.
예전에는 살을 빼려고 굶으면서 운동을 하면
1kg만 빠져도 눈 밑 주름과 팔자주름이 너무
늘어져 얼굴이 엉망이었는데 지금은 살이 조금씩
빠지는 상황에서도 얼굴이 더욱더 밝아지면서
신기할 정도로 팽팽해지고 있다.

지금 상태의 몸은 예전 힘들었던 시기의
30대보다도 더 좋아진 것 같다.

2023년 02월

아직도 크게 반응할 부분이 남아 있나보다.
어느 순간부터 계속 도수 안 맞는 돋보기를 쓴

것처럼 어지럼증이 계속 오면서 속이 메스꺼운
증상이 온다.

어릴 때부터 수시로 있었던 증상이라 그러려니
하지만 계속 오니 이 또한 죽을 맛이다.

몸이 너무 무겁고 처지는 증상도 계속 반복되고
있다.

호흡도 안 되고 등이 화닥거리고 머리가
흔들리면서 소화가 안 되는 증상이 계속 반복되고
있다.

또 많이 힘들다.

'한 번에 좋아질 수 있나 오랜 세월 묵은 독소를
빼내니 시간이 걸리겠지' 라고 생각하지만 반응이
클 때는 진짜 짜증도 많이 나고 지칠 때도 많다.

그래도 그동안의 좋아진 상태를 생각하며
이겨내곤 한다.

이제는 얼음장 같았던 발에도 계속 혈이 도는지
반응이 크게 나타났다.

조그만 무좀이 한번 생겼던 부위에 무좀이 다시
올라오면서 부위 크기가 10배 정도 커졌다.
어.. 이러면 안되는데...

2023년 06월

6월까지도 위 증상들이 계속해서 반복된다.

잇몸 통증도 잠을 못 잘 정도는 아니지만 계속
염증이 생겼다 없어졌다를 반복했다.

운동 시작하면서 쪘던 5kg까지 합하면 1년 동안
10kg가 빠졌고, 운동하기 전 원래 몸무게에서는
5kg이 빠졌다.

너무 느리긴 하지만 노력하니 조금씩 바뀌는 나
자신이 대견하다.

2023년 07월

다시 어지럼증과 심장 두근거림, 호흡이 안 되는
증상, 소화 안 되는 증상, 등이 화닥거리는 증상,

탈진증상, 얼굴이 검게 변하는 증상 등이
계속되면서 더욱 힘들게 한다.

힘들지만 내 몸의 변화를 생각하며 견디는
중이다.

이번엔 심장이 제대로 자극을 받는 모양이다.

하루종일 호흡이 안 되고 탈진하는 증상이 1주일
정도 반복한다.

와우...어찌 이리 조금이라도 안 좋다고 알고 있던
부분을 그리 정확히 열심히 건드리는지...

또 몇 달이 걸려서 좋아지게 될지 그냥 희망을
품고 하루하루를 보내는 중이다.

그나마 다행인 건 이번에는 잇몸이 살짝만 붓고
내린다.

잇몸 속에 있던 염증은 많이 빠진 모양이다.

어릴 때부터 변비와 소화불량에 너무 힘들었는데
현재는 변비와 소화불량증세는 90% 이상 증세가
완화된 느낌이다.

2023년 초반부터 나타나던 무좀 증세가 계속
다른 쪽에도 올라오면서 번지더니 발가락까지
힘들게 했다.

그런데 시간이 지나고 보니 무좀이 아닌 듯했다.
간지럽거나 피부가 뒤집힌 부위에서는 동그란
단단한 알갱이 같은 것이 숨어있었다.

그것이 다 나올 때까지는 너무 간지럽고 아픈
증상이 계속되었다.

빨리 낫고 싶은 마음에 조금 올라온 알갱이를
멸균 침으로 찔러 본 적이 있다.

우리가 흔히 알고 있던 진물 같은 것이
들어있었다.

이것이 독소라는 것인가?

그런 것들이 몇 달 동안 지속되면서 알갱이가 다
빠지니 발이 깨끗해지고 미지근하게 혈이 도는 게
느껴진다.

신통방통하다.

살아온 세월 중 최상의 컨디션

2024년 1월, 이글을 정리하고 쓰고 있는 지금은, 3년 조금 넘게 섭취했고 이러한 반응들은 계속 돌아가면서 증상이 나오지만 강도가 많이 약해지고 몸도 좋아지는 게 아주 크게 느껴졌다. 점점 젊어지는 것 같다.

지금까지 살아온 세월 중 최상의 컨디션이라고 해도 과언이 아닐 듯 싶다.

독일피엠 섭취 전에는 뇌출혈 증세도 있다고 하고, '누워있다 죽으면 어쩌지?'라는 걱정을 하기도 하고, 온몸 통증으로 죽고 싶다는 생각도 많이 했다. 지금은 그 모든 생각들을 떠나보내고 앞으로 건강하게 노년의 삶을 맞이할 수 있을 것 같고, 노환으로 죽을 수 있다는 자신감이 생겼다.

내 경험이 위로가 될 수 있다면

아직 '엄청 건강합니다.'정도는 아니지만, 내 몸에
여유가 생기고 나니 다른 욕심이 생겨났다.
크게 아프지 않았던 사람들은 독일피엠 섭취
후에도 치료 부위만 건드리고 지나가지만, 통증이
있었던 사람들은 원리를 몰라서 통증을 견디지
못하고 섭취를 포기하고 다시 병원으로 돌아가는
사람들이 많다고 들었다.
요즘 미디어를 접할수록 수면 부족과 나쁜
식습관, 스트레스 때문인지 나만큼 통증으로 힘든
사람들을 쉽게 접하게 되며, 10대나 20대도 몸
관리가 안 되어 힘들어하는 사람이 너무 많아서
심각하다는 것을 알게 되었다.
독일피엠섭취 후에 통증으로 시달리고 있을 때,
먼저 독일피엠을 섭취한 분들이 그냥
"좋아질거야."라고만 말해줘서 답답했고, 의문만

커졌다.

딸을 보며 증상을 비교해보고 서로 위로할
뿐이었다.

그것이 제일 힘들었고 큰 통증으로 고생하시는
분들은 나처럼 견딜 수 있는 사람도 많지 않을
거란 생각이 들었다.

함께 갑시다. 빛을 향해.

우리 가족은 모여서 늘 말한다.

10년이라는 어둡고 막막했던 긴 터널에 빛이
보인다고.

우린 다시 앞으로 달리기만 하면 된다고.

내가 겪은 이 모든 것이 나에게는 인생 최고의
공부였다.

내가 고통을 이겨내며 배운 모든 걸 다른 사람과

나누며 손을 잡고 걸어가고 싶은 욕구가 생겼다.
그래서 용기 내서 글도 써보고, 감히 모든 사람이
나처럼 살지 않기를 바라는 마음을 먹었다.

이 글을 보시는 분들은 나를 만난 다음이겠지만,
다리가 다른 사람보다 먼저 부러져보고 다시
일어서는 법을 먼저 배운 사람이기에 한 말씀
드리고 싶다.
공부든, 운동이든, 사업을 하든 내 인생에 이루고
싶은 곳까지 도달하는 데는 노력과 고통이 반드시
수반된다는 것을 우리 모두는 알고 있다.
하물며 세상에서 가장 소중한 내 몸을 일으키는
데도 노력과 고통이 수반되어야만 일어설 수
있다는 것을 직접 경험한 사람으로서 말해주고
싶고, 나는 여러분들이 노력을 하고 고통을
이겨내는 데 조금이나마 도움이 될 수 있도록
손을 잡아줄 준비가 되어있어서 이 글을 써

내려온 것이다.

길고 어둡고 희망이 없던 터널에서 한 줄기의
빛을 만나 앞으로 달려나갈 수 있을 때까지
파이팅하시기를 기원합니다.

PART 5-2

독일피엠 섭취 후

증상들에 대한 기록

(딸이야기)

나는 따로 기록이 없다

나는 따로 기록이 없다.
그냥 피엠이 내 몸 속에서 나와 함께 살아가고
있는 것을 느낄 뿐이다.
엄마가 나와 대화한 내용들을 기록해둔 게 있다고
해서 놀랐다.
하루를 마칠 때쯤 엄마는 내 몸이 어땠는지, 어떤
증상들이 있었는지 물어본다.
내가 조잘조잘 이야기한 것들을 메모해 둔
모양이다.

다른 말이 생각이 안 나네..?

나는 부위별로 다른 수많은 질병 이름들, 필요한
영양소 이름들, 여러 의학 용어들을 하나의

생각으로 퉁 칠 뿐이다.

'아 지금 피엠이 일하고 있구나. 이것도 잘
참아내야지.'

피엠으로 인한 증상과 그렇지 않은 증상은 차이가
있다.

예를 들면, 피엠과 상관 없이 밤에 잠을 못 잤을
경우 다음날은 하루종일 머리가 붕붕 뜨고 몸에
힘도 안 들어와서 집중을 해야 할 수 있는 활동을
못 한다.

하지만 피엠으로 인한 불면증 반응은 밤새 잠을 못
자는 건 같지만 그 다음날 30분 정도 낮잠을 자면
정상생활이 가능하다.

또 몸에 갑자기 한기가 든다고 해보자.

피엠과 상관 없이 바이러스에 감염 됐을 경우에는
며칠 동안 앓는다.

서서히 낫는다.

하지만 피엠으로 인한 한기 증상은 30분 정도 짧게

왔다가 언제 왔냐는 듯 사라진다.

이렇게 차이를 발견하고, 피엠을 느끼면, 피엠을 향한 마음에 신뢰를 쌓는다.

그렇게 만들어진 신뢰를 꼭 안고, 풍파를 버텨낼 뿐이다.

이런 재미없는 성격 때문에 주변 사람들이 내게 도움을 청하면 나는 해줄 말이 별로 없다.

'믿고, 참으세요. 좋아질 거예요..'

끝이다.

다른 말이 생각이 안 나네..?

한계 없는 눈물샘, 끝없는 사랑

사람들이 엄마에게 조언을 구하면, 엄마는 그들의 이야기를 듣는다.

그리고 운다.

나는 내 일도 담담한데, 엄마는 남의 일도 자신의
일처럼 운다.

본인도 느꼈다며, 얼마나 힘들겠냐며.

그리고 설명해주기 시작한다.

어제 했던 말, 오늘 또 하는데도 똑같이 또 울고
똑같이 또 설명한다.

마치 새로운 말을 새롭게 하듯 눈이 반짝이고
몸짓이 커진다.

꼭 안아 사랑 채웠으니 나는 제시간에 자러 갑니다

한 번씩 엄마를 옆에서 이렇게 보고 있노라면 정말
대단하다는 생각이 든다.

나는 절대로 저렇게 할 수 없다는 생각과 저런
사람이 우리 엄마인 나는 너무나 운이 좋은
사람이라는 생각이 합쳐져서 엄마를 안아주고

싫다는 생각이 든다.

열심히 통화하고 있는 엄마 뒤로 가서 안으면,

엄마는 볼과 어깨에 폰을 끼고 돌아서서 나를 꼭

안아준다.

인사도 했겠다 자러 가야겠다.

나는 또 내일을 살아야 하니까.

제시간에 자야지.

엄마가 메모한 나

기존상태

초등학교 때부터 어깨가 많이 아프고 소화기능이나
대장기능이 안 좋은 상태였다.

태어날 때부터 남들보다 피부가 단단해서 그때는
건강하다고 착각한 때가 있었다.

지금 생각해보면 너무 무지했다.

지금 검사하니 혈액양과 혈구수가 남들에 비해 너무
적어 약한 아이였다.

다른 아기들이 200ml의 분유를 먹는데 비해 우리
아이는 20ml도 못 먹을 때 다르다는 걸 알았어야
했다.

우리 딸은 영양소를 받아들일 준비가 안 되어
있었던 것이다.

한의원에 가면 하는 말이 있다.

우리 딸은 경차로 태어났으니 경차 역할만 할 수

있고, 엄마는 중형차로 태어났는데 고장난 차라는
비유를 들어주었다.
그런데 그때는 무슨 말인지 못 알아들었다.
지금보니 혈구수와 건강은 아주 비례한다는 것을
알았다.
기본적으로 온몸이 차고 혈이 안 돌아서 여름에도
춥다고 할 정도로 약했다.
중학교 때부터 허리가 너무 아파서 울 정도로
고통스러워했고 불면증도 있었다.
이러한 이유로 고등학교 입학 시즌에 몸이
따뜻해지고 화장실을 잘 갈 수 있게 해달라고
말하면서 한약을 먹었다.
한약을 먹으면서 부작용으로 오른쪽 전체가
마비증세가 왔다.
다른 한의원에 가니 기풍이라고 말씀하시면서
약조제를 잘못한 거 같으니 소송을 하고 오라는
말씀까지 하였다.

기풍은 절대로 고칠 수 없는 병이라고 했다.(모든
기와 혈이 막힌 상태라고 함)
한약을 섭취한 후 생리가 나오지 않고 검은가루가
약간 나올 정도였다.
심각한 상태라고 했다.
고생하던 7년간 먹은 식품이 거의 1억에 가깝다.
하지만 여전히 누워있기를 반복하고, 책을 좋아하는
아이가 책을 볼 수도 없는 상황이었다.
딸에게 너무 미안하고 죄스러웠다.

2020년 11월 22일. 독일피엠을 섭취하기 시작
독일피엠 섭취 며칠 후부터 눈에서 찌릿한 느낌.
3주 후에 밤에 사지에 마비가 옴.(너무 무섭고
공포스러웠지만 호전이라 생각하고 새벽 5시까지
주무르며 잠들었다고 함)
다음날 1/2 강도로 또 사지 마비가 옴.

수시로 힘없고, 탈진증상이 나면서 갈비뼈, 손목,
골반뼈 등 통증이 심한 증세가 자주 나타남.

팔, 다리 저린 증상이 있음.

질이 꼬이는 통증이 2~3번 나타남.

눈과 머리에 강한 압이 수시로 느껴짐.(고통이
심함)

눈은 수시로 찌릿한 느낌이 남.

입 냄새가 심하게 남.

속이 메스껍고 구토할 것 같은 증상이 수시로
나타남.

잇몸 통증과 치통 증세가 3~4번 반복해서 나타남.

계속 설사와 변비가 반복되며, 냉액과 같은
분비물이 나오고, 불투명한 분비물이 나옴.

멍이 여러군데 자주 생김.

얼굴에 여드름이 자주 나며 뒤집힘.

호전반응이 반복될 때마다 얼굴이 노랗게 변함.

생리 때는 여느 때와 마찬가지로 하루 반 정도는

허리와 복부 통증과 탈진 증세로 꼼짝할 수 없는
증세가 반복.(생리혈이 나오거나 안 나오기를
반복함)

수시로 호흡하기가 힘들며, 눈 주위가 자주 떨림.

어깨와 등 통증이 수시로 나타남.

예전에 마비되었던 오른쪽 얼굴과 팔, 다리가
수시로 부었음.

섭취 9~10개월 후 즈음 항문에서 2주 정도 엄청난
양의 피가 나옴.

너무 힘들었던 화장실이었는데 가는데 1초컷이라고
말할 수 있을 정도로 좋아짐(간혹 변비, 설사가
반복되기도 함)

피부가 밝아지고 윤이 남.

생리통은 생리가 있는 날에도 움직이고 다닐 수
있을 정도로 좋아짐.

지금도 저린 증상은 가끔 나타남.

공부하고 놀러도 다닐 수 있을 정도로 체력이 올라

왔으나 아직은 남들에 비하면 체력이 좋은 편은
아님.

불면증이 많이 좋아졌지만 가끔 한 번씩 다시
불면증이 있음.

어깨통증은 거의 사라짐.

6개월 섭취 후, 왼쪽 팔꿈치 아래쪽으로 30분 정도
마비증세가 또 나타남(마비 강도는 많이 완화된
상태)

혈이 예전보다 잘 돌아서 그런지 그 큰 골반과
허벅지살이 모두 빠지면서 몸무게가 7kg 정도 빠짐.

10개월 정도부터는 운동할 수 있는 체력이 생겨서
PT를 하니 근육이 좀 생기면서 2kg정도 몸무게가
늘어남.

지금은 친구 만나고, 책보고, 운동하는 것을 하루에
다 해도 탈진 안 하는 날이 더 많아짐.

생리혈이 나올 때도 까맣게 나올 때가
대부분이었지만 지금은 생리혈도 맑은 날이 더

많아짐.

얼굴이 원래 노랗다고 생각한 건 완전 오산이었음을 깨달았음.

혈이 돌고 건강해지니 완전 백옥의 피부를 가진 딸이었음을 이제 깨달았음.

어린 것이 항상 추워서 운동선수들이나 신는 두껍고 긴 양말을 항상 2개씩 신고 잤는데, 이제는 긴 양말 하나로 가능해졌음.(남들이 들으면 웃겠지만)

언젠가는 짧은 양말을 신거나 안 신어도 발이 안 시려운 날이 오겠지 하고 기대됨.

몸이 좋아졌지만 간간히 재생반응이 나오곤 함.(현재 1년 2개월 섭취)

22년 6월 비실이의 대명사이면서 한약으로 몸까지 기풍으로 마비증세까지 있던 울딸이 작년 10월부터 운동을 시작하더니 더 건강해지고 근육도 생김.

피엠 섭취전에는 pt샘이 '네 근육은 쓰레기야'라고 했던 말이 무색할 정도로 착한 몸으로 만들어지고 있다.

앞으로의 울딸이 기대된다.

아기 때부터 혈의 양이 적어서 혈 순환이 제대로
안 되던 아이라서 심장근육도 제 역할을 못
해서인지 23년 현재까지 간간히 탈진하는 증세는
여전히 나오고 있음.

22년 후반기부터는 하루종일 책보고, 피아노치고,
운동하는 일을 반복하여도 호전증상이 올 때 말고는
탈진하거나 힘들어하는 증상은 많이 완화된 상태임.
딸의 말이, "태어나서 이렇게 몸이 괜찮아 본 적이
없다."고 한다.

PART 6

놀이터로 모여라

독일피엠은 자연스럽게 번지는 것

사람들과 연결되어 살아가고 있는 우리들에게,
독일피엠이 번지는 것은 자연스러운 일이다.
사랑하는 사람들에게, 안타까운 사람들에게 좋은
것을 권해주고픈 마음이 드는 것은 본능이니까.

오히려 말하지 않으려고 노력했다

내게 아무리 좋은 것이라도 상대의 상황에서는
적절하지 않은 것일 수도 있고, 원하지 않은 조언은
오히려 독이 된다는 것도 잘 안다.
그래서 오히려 더 말하지 않으려고 노력해야 했다.
너무 말해주고 싶은 만큼 말하지 않으려고 참는
노력이 힘들었다.
말해주고 싶어서 독일피엠이 혀 끝까지 닿아도

'자식을 생각해서 하는 말이지만 부모의 지나친
관심은 부담이 될 수 있다.'는 말을 떠올리며 삼킨
적이 정말 많다.

엄마한테만 말해야지

하지만 우리 엄마에게는 안 되겠더라.
오만 생각을 하다가 우리 엄마에게만큼은
독일피엠을 권하는 게 맞다는 쪽으로 마음이
기울어서 나를 믿고 섭취해보자고 엄마를 이끌었다.
내가 독일피엠을 섭취하고 2달이 좀 더 지난 즈음
엄마가 드시기 시작했다.
섭취하시고 며칠 동안은 잠을 잘 주무시고 좋다고
하셨다.
그러더니 이후 부정맥이 도졌다며 걱정하시면서
내게 전화를 하시고, 수간호사인 막내딸에게도

전화를 하셨다.

평소 엄마는 여느 어르신처럼 수시로 소화불량에
허리협착증, 부정맥, 고지혈증, 통풍 등의 증세가
있으셨다.

여동생은 독일피엠 그만 섭취하고 병원에 오라고
권유했고 나는

"엄마, 내가 다 경험했던 증상인데 며칠 있으면
괜찮아져."라며 엄마를 안심시켜 드렸다.

다행히 엄마는 겁이 난다고 하시면서도 목소리에
확신이 차 있는 나의 말을 들어주셨다.

이틀 뒤 전화가 와서

"네 말 듣고 참았더니 감쪽같이 증세가
사라졌네."라며 신통하다고 말씀하셨다.

그리고 한 달 좀 넘게 섭취하신 즈음엔 동네
사람들이 얼굴이 환해졌다고 말했다면서
행복해하셨다.

그로부터 얼마 지나지 않아 또 병원에 가야겠다고

전화가 왔다.

소화가 너무 안 돼서 위 내시경 검사를 하러

가야겠다고 하셨다.

나는 같은 말로 엄마를 안심시켜 드렸다.

이틀 뒤 통화를 했다.

소화가 안 되던 증세가 사라졌고 너무 멀쩡해졌다고

말씀하시면서

"네 말이 맞네"라며 좋아하셨다.

엄마가 자기 새끼들에게

엄마는 독일피엠이 좋다는 걸 느끼신 즉시 본인이

가장 사랑하는 사람, 새끼들에게 달려가셨다.

나의 형제들이다.

엄마는 우리 형제들에게 이 좋은 독일피엠을 왜 안

먹냐며 계속 말씀하셨다.

"미련스럽게 열심히 일만 하고, 늙어서 아파
고생하지 말고 이거 먹어라. 너무 좋은 것 같다."
하며 형제들을 설득하니 다들
'그래 엄마가 저렇게 말씀하시는데 엄마 뜻 한 번
따라 드리자.'라는 생각으로 섭취를 시작했다.
이렇게 친정 가족 모두가 독일피엠을 섭취하게
됐다.

남편이 자기 형제들에게

엄마가 독일피엠을 섭취한 후 1달 정도 지난
시점에는 남편이 누나인 둘째 시누이에게
독일피엠을 섭취해보라고 권유했다.
시누이는 우리보다 건강하셔서 그런지 한 달 만에
많은 경험을 했다.
섭취 후 며칠 만에 눈이 편해져서 안약을 안

넣었고, 수면제를 먹지 않고 잠을 잘 수 있다고
좋아하셨다.

이렇게 둘째 시누이를 시작으로 시댁 가족들까지
모두 섭취하게 되었다.

소개한 이후가 문제야. 다들 아프다고 난리.

어찌어찌 독일피엠을 소개해도, 그 이후가 문제였다.
섭취한 사람들을 일일이 살펴가며 소통해야 했기
때문이다.

우리 집안에는 골칫덩어리처럼 고질병이 있다. 우리
가족은 모두가 엄마하고 닮아서, 요산이 이동하면서
생겨나는 관절 통증과 염증으로 힘들었다.

독일피엠을 섭취한 이후 나타나는 증상으로 다들
너무 아프다고 난리였다.

그래서 가족 톡방을 만들어서 대화를 나누면서 내

경험을 공유했다.

꼼꼼하고 의심많은 오빠

맏이인 오빠는 1살 때 소아마비를 너무 심하게
앓아서 허리 아래쪽으로는 감각이나 신경이 거의
없는 장애 1급 상태이다.
오빠가 우리 식구 중 맨 마지막으로 섭취한
사람이다.
오빠는 의심이 많고 꼼꼼한 성격이어서 엄마가
섭취했으면 좋겠다는 말씀을 듣고도 믿지를 못하고
여기저기서 정보를 다 찾아봤다.
그러면서 나에게
"내 왼쪽 다리 바깥쪽이 점점 더 감각이 떨어져서
그냥 비계만 붙어있는 것처럼 굳어가는 느낌이고,
혀와 코가 감각이 거의 없어서 병원에 갔더니

방법이 없으니 그냥 사는 수밖에 없다는 소리를
들었다."고 말하면서
"이걸 고쳐주면 믿을게."라며 장난스레 말했다.
오빠는 혀와 코가 막힌지 얼마 안 되어서인지
효과가 정말 빨리 나타났다.
독일피엠 섭취 후 이틀 만에 냄새가 맡아졌고, 맛이
안 나던 장어 맛이 느껴졌다고 한다.
그리고 다리도 뭔가 다른 느낌이 난다고 했다.
이 증상들은 지금도 수시로 좋아졌다 나빠졌다를
반복하면서 서서히 좋아지고 있다.
오빠는 그 상황을 계기로 독일피엠을 나보다도 더
좋아하게 된 것 같다.

여기가 잠잠해지니 저기가 난리

6개월 정도 지나고 가족들의 통증들이 서서히

가라앉고, 몸의 원리도 알게 되어 가족 톡방이 좀
잠잠해질 무렵, 엄마가 친구분들이 독일피엠을
드시고 싶어 한다며 나에게 알려주라고 말씀하셨다.
이렇게 엄마 친구분들에게 관리 아닌 관리를 하게
되었다.
온종일 전화기를 붙들고 설명해드렸다.

내가 소개한 사람은 단 6명뿐

독일피엠을 3년간 섭취하면서 내가 소개한 사람은
딱 6명뿐이다.
우리 엄마와 몸 어딘가의 이상으로 힘들어하던 친한
지인 5명.
무릎에 물이 차서 매일같이 한의원에 가서 치료하던
언니,
다리가 매일 부어서 의자에도 못 앉아있겠고 팔이

아파서 뒤로 안 돌아간다고 힘들어하던 언니,
협착증으로 수술하고 다리가 미세하게 마비증세가
있다고 한 언니 3명과,
얼굴이 새까맣게 변한 친구,
녹내장이 있으면서 저혈압 증세로 1~2달에 한
번씩 기절해서 응급실로 실려가던 친구 2명이다.

내가 소개한 사람들이 소개한 사람들

내가 독일피엠을 소개한 사람들뿐만 아니라 내가
소개한 사람들이 소개한 사람들에게까지
전화해주고, 위로해줬다.
독일피엠을 접했지만 주변에서 독일피엠을 섭취하는
방법과 독일피엠이 몸을 치유하는 원리, 섭취 후
나오는 증세들을 알려주지 않아서 독일피엠을
포기하는 사람들을 너무 많이 봤다. 너무

안타까워서

'나라도 내가 아는 건 최대한 알려주자.' 하는

생각에 하루종일 전화기를 붙잡고 소통했다.

독일피엠을 처음 접해서 섭취하면, 나오는 증상

하나하나 궁금하고 의심스럽고 불안하다.

그래서 물어볼 곳이 필요하다.

너무 잘 안다.

하지만 사람들이 늘어날수록 내가 아무리 내 시간을

쪼개서 대응한다 하더라도 그들 한 명 한 명에게

닿는 손길이 부족했다.

그 시간이 지속되니 이런 생각이 들었다.

'집안에서 전화기 붙잡고 1대1로 전달하는 것보다

모일 수 있는 공간을 만들고 공유할 수 있는

자료를 만들어서 전달하는 것이 더 많은 사람들에게

더 효과적으로 도움을 줄 수 있지 않을까?'

커다란 놀이터를 만들자

집에서 미디어를 접할수록 나와 같이 고통받는
사람들이 정말 눈에 많이 들어왔다.
그럴 때면 머릿속에서
'저 사람들 다 독일피엠 먹이고 싶다. 나 같은
사람도 좋아졌는데'라는 말을 반복하는 나를
발견하곤 한다.
나라는 사람의 성향, 내 경험, 내 상황, 사회적인
영향, 내가 원하는 세상 등 내가 고려할 수 있는
모든 현실적이고 이상적인 것들을 생각하고 또
생각해서 결론을 내렸다.
힘들고 아픈, 도움이 필요한 사람들이 언제든
찾아와서 도움을 받을 수 있는 커다란 놀이터를
만들자고.

고마워, 독일피엠.

연세가 80세이신 엄마는 독일피엠 섭취 후 모든
병원 약을 내려놓고 몸에 몇 십년을 달고 살던
소화제까지 한 번도 섭취하신 적이 없이 나를 믿고
잘 견뎌오셨다.

22년 겨울, 엄마가 건강검진 결과지를 가족 톡방에
올리셨다.

혈압도 좋아지고, 당 수치는 정상, 골밀도 정상,
시각, 청각, 빈혈 등도 정상이었고 향후 10년 이내
심뇌혈관질환 발생할 확률이 현재 상태 대비 51%
감소하여 14.9%→7.3%로, 심뇌혈관 나이는
71세→62세로 나왔다.

엄마는 나와 통화할 때마다 독일피엠을 먹게 해줘서
너무 고맙다고 말씀하신다.

엄마 친구들과 주변 사람들이 나이가 드니 다들
진통제로 살고, 한의원에 가서 한 시간씩 기다려서

진료 받고, 너무 힘들어서 피 뽑고 어지럼증까지 온
사람들 얘기를 하시면서 항상 고맙다는 말을 달고
사신다.

내 말을 듣고 잘 따라와 주신 엄마가 나도 정말
고맙다.

독일피엠 섭취 후 3년 정도 지난 지금은 남들보다
건강한 건 아니지만, 나름 내 몸 중에서 최상의
컨디션이다.

앞으로의 희망도 최대치다.

어둠의 터널을 뚫고 희망을 찾은 나처럼 많은
사람들이 빛과 희망을 찾길 바란다.

읽어주셔서

감사합니다